Alexandre Duval-Stalla

Claude Monet - Georges Clemenceau : une histoire, deux caractères

Biographie croisée

Gallimard

Né en 1974, Alexandre Duval-Stalla est avocat au barreau de Paris. Il est l'auteur de deux biographies croisées, publiées dans la collection « L'Infini » : *André Malraux-Charles de Gaulle, une histoire, deux légendes* qui a reçu le prix de la Fondation de France-Simone Goldschmidt et de *Claude Monet-Georges Clemenceau : une histoire, deux caractères*, couronné par le prix du Nouveau Cercle de l'Union et le prix Fondation Pierre Lafue.

À ma sœur, Marine, qui, depuis les Beaux-Arts, poursuit son œuvre d'artiste peintre, en forçant mon admiration et ma tendresse.

À Maurice Landré[†], l'ami de mon grand-père, avec qui il partageait la même passion des roses et de la peinture.

« Rien, ni personne n'entendit autant de bêtises qu'un tableau. »

JULES DE GONCOURT

Chapitre premier

« COMME UN BOUQUET DE FLEURS OFFERT À LA FRANCE »

« Peignez, peignez toujours, jusqu'à ce que la toile en crève. Mes yeux ont besoin de votre couleur et mon cœur est heureux. »

Lettre de Georges Clemenceau à Claude Monet

« Je suis aussi fou que vous, mais je n'ai pas la même folie. Voilà pourquoi nous nous entendrons jusqu'au bout. »

Dernière lettre de Georges Clemenceau à Claude Monet

Le 12 novembre 1918, au lendemain de la victoire de la France sur l'Allemagne, Claude Monet écrit à son vieil et glorieux ami Georges Clemenceau : « Cher et grand ami, Je suis à la veille de terminer deux panneaux décoratifs que je veux signer le jour de la Victoire, et viens vous demander de les offrir à l'État par votre intermédiaire. C'est peu de chose, mais c'est la seule manière que j'ai de prendre part à la victoire. Je désire que ces deux panneaux soient placés au Musée des Arts Décoratifs et serais heureux qu'ils soient choisis par vous. Je vous admire et vous embrasse de tout mon cœur[1]. »

Quelques jours plus tard, le 18 novembre 1918, Clemenceau se rend chez Claude Monet à Giverny : « Lorsque l'armistice fut annoncé, la première décision de Clemenceau fut de demander sa voiture et de rouler vers Giverny. Arrivé devant le perron de la maison, il tendit les bras vers le peintre. Sans parler, Monet marcha vers lui et demanda simplement : "C'est fini ? — Oui." Et les deux hommes, si grands, s'embrassèrent en pleurant dans ce jardin d'automne où les roses s'étaient

retenues de mourir[2]… » Monet en est particulièrement touché : « la visite du Grand Clemenceau
venu me demander à déjeuner ; c'était son premier jour de congé et c'était pour me venir voir,
ce dont je suis très fier[3] ».

Claude Monet et Georges Clemenceau se sont
rencontrés dans les années 1860 alors qu'ils avaient
une vingtaine d'années : « C'est au Quartier latin
que je fis sa connaissance. Mes aventures, de l'hôpital à la prison de Mazas, me tenaient fort occupé.
Il peignait je ne sais où. Nous fûmes vite en sympa-
thie. Mais nos rencontres n'étaient pas fréquentes.
Des amis communs nous réunissaient quelquefois. […] Déjà l'on se disait avec une pointe
d'orgueil : "C'est du Monet" et ces paroles avaient
un sens, car elles exprimaient l'étonnement, l'admiration même d'une brosse hardie, encore inexpé-
rimentée, mais probe dans l'exécution, et prompte
dans la mise au point de sa volonté[4]. » Rapidement,
Claude Monet et Georges Clemenceau se perdent
de vue, pris par leurs vies respectives. Ce n'est qu'à
partir des années 1890, grâce à leur ami commun
Gustave Geffroy, critique d'art dans le journal que
tient Clemenceau, que les deux hommes renouent
les fils de leur amitié. Elle ne cessera alors de
s'approfondir et de s'enrichir pour former une
amitié parfaite : « communauté de goûts, d'idées,
admiration réciproque, vie vraiment partagée[5] ».

Aussi, quand Clemenceau arrive à Giverny pour
le déjeuner ce 18 novembre 1918, il donne tout de
suite son accord enthousiaste à Monet ; en définitive, ce ne sont pas deux tableaux que Monet offrira
à la France, mais une suite de vingt-deux panneaux
qui forment les *Nymphéas* du musée de l'Orangerie.

Le pressentent-ils eux-mêmes ? Clemenceau sans

doute. Les *Nymphéas* sont à la fois un cadeau fait à la France, et aussi le témoignage éclatant d'une amitié exceptionnelle entre un peintre génial et un grand homme d'État. Pendant sept longues années, Clemenceau va non seulement supporter dans tous les sens du terme Monet pour qu'il achève les panneaux des *Nymphéas*, qui restent le sommet de son génie pictural, mais également bousculer une administration si longtemps réticente à l'égard de Monet et des impressionnistes, afin que ce chef-d'œuvre trouve toute la place qu'il méritait au sein d'un lieu à sa hauteur et à sa démesure. Double don de Monet et de Clemenceau à la France au nom de leur amitié.

En réalité, la série des *Nymphéas* représente plus de deux cent cinquante toiles. C'est dans les années 1890 que Monet systématise son approche de la lumière sur la nature en peignant plusieurs toiles à la fois, série de tableaux dont les couleurs changent avec la lumière qui évolue selon l'heure, les nuages et le soleil. C'est avec la série des *Meules* que Monet initie cette révolution picturale. Suivront les *Peupliers*, les *Cathédrales*, la *Tamise* et les *Nymphéas*.

Approche à laquelle Clemenceau a eu le privilège d'assister : « Un jour, j'avais trouvé Monet devant un champ de coquelicots, avec quatre chevalets sur lesquels, tour à tour, il donnait vivement de la brosse à mesure que changeait l'éclairage avec la marche du soleil. […] On chargeait des brouettes, à l'occasion même un petit véhicule campagnard, d'un amas d'ustensiles, pour l'installation d'une suite d'ateliers en plein air, et les chevalets s'alignaient sur l'herbe pour s'offrir aux combats de Monet et du soleil. C'était une idée bien simple qui n'avait encore tenté aucun des plus grands peintres. Monet peut en revendiquer l'honneur. Sur ces séries de toiles se sont répandues, vivantes, les plus hautes ambitions de l'artiste à la conquête de l'atmosphère lumineuse qui fait l'éblouissement de notre pauvre vie[6]. » Et Monet de peindre plusieurs tableaux en même temps : « L'artiste se met à la besogne. Il y a quatorze tableaux commencés en même temps, quasi une gamme d'études, traduisant un même et unique motif dont l'heure, le soleil, les nuages modifient l'effet[7]. »

Les premiers tableaux de la série des *Nymphéas* datent de 1899, mais Monet n'y accorde alors pas plus d'importance. En 1904, il en reprend le thème ; ce qui aboutit à une exposition, en 1909, d'une quarantaine de toiles qu'il n'avait pas détruites, à la galerie Durand-Ruel. Crime courant chez Monet, traduisant son insatisfaction et son exigence : « M. Claude Monet a peint les surfaces de l'étang où, dans un jardin japonais, fleurissent les nymphéas. Mais il a peint cette surface seulement, vue en perspective, et aucun horizon n'est donné à ces tableaux, qui n'ont d'autre commencement et d'autre fin que les limites du cadre, mais que l'imagination prolonge aisément jusqu'où il lui plaît. Ce ne sont donc, comme éléments du tableau, que le miroir aquatique, les feuilles et les fleurs qui s'y appuient — puis le reflet, drapé et varié à l'infini, du paysage environnant, et du ciel que nous avons au-dessus de nous. Ce sont, en un mot, des peintures de reflets mêlés à des objets réels, mais s'harmonisant avec eux dans une merveilleuse et capricieuse diversité. Les effets les plus inattendus et les plus vrais ne se répètent pas une seule fois dans cette ample série, qui ne comporte pas moins de quarante tableaux[8]. » Ces tableaux sont les esquisses des futurs panneaux de l'Orangerie. Monet, toutefois, ne s'y attarde pas encore. Trop tôt. Les *Nymphéas* ne sont pas encore au centre de sa quête esthétique.

Tout change à l'été 1915. En effet, Monet se fait construire à Giverny un nouvel atelier, vaste et lumineux, avec une immense verrière. C'est dans cet atelier baigné de lumière qu'il va peindre l'essentiel de la série des *Nymphéas* de l'Orangerie. Avec un changement radical dans sa façon de peindre : pour la première fois, il peint en atelier et non pas en extérieur comme il a toujours exercé son art. L'extérieur sur lequel se sont fondés l'impressionnisme et la peinture de Monet.

Avec cet atelier, Monet se lance donc dans ce qu'il appelle au début ses *Grandes Décorations*, et ce pendant tout le reste de la guerre. Elles l'occupent et le préoccupent. Dans ce travail qui le décourage souvent, il peut compter sur le soutien indéfectible de Clemenceau, à qui il montre ses grands panneaux dès novembre 1916. Clemenceau est tout de suite enthousiaste.

En réalité, Monet, comme Clemenceau, caressait depuis longtemps le rêve d'exposer une série entière dans un lieu qui lui serait dédié. Dès 1895, au moment de l'exposition des *Cathédrales* à la galerie Durand-Ruel, Clemenceau avait regretté dans son premier article qu'il consacrait à la peinture de Monet qu'aucun amateur n'eût acheté la série entière pour qu'elle soit conservée et exposée dans son ensemble. Et d'imaginer déjà une salle circulaire qui serait une sorte de révélation : « Ce serait la vie même telle que la sensation nous en peut être donnée dans sa réalité la plus vivante. « Ultime perfection d'art, jusqu'ici non atteinte[9]. » Monet en est également convaincu. En mars 1892, il avait même fait attendre Durand-Ruel pour que toute la série des *Peupliers* soit achevée, exigeant que seule la série soit exposée. Il imaginait aussi qu'un cadre architectural particulier devrait accueillir une telle série dans son intégralité. En 1909, il parle même d'une pièce ronde[10].

C'est pourquoi Clemenceau, lorsqu'il rend visite à son ami au lendemain de l'armistice, sait qu'il va pouvoir enfin réaliser ce rêve formé en 1895 de réunir l'ensemble d'une série dans un lieu unique. Le projet doit cependant rester secret encore pour ne pas risquer d'échouer. Clemenceau veut protéger Monet, mais aussi se protéger des humeurs et des découragements destructeurs de ce dernier. Monet doit être pleinement satisfait des conditions d'exposition et de réalisation de ce don. Et il est très pointilleux et exigeant ; surtout avec ses toiles.

À la suite de l'accord enthousiaste de Clemenceau, Monet continue son travail. Très vite, une première embûche survient. Blanche Monet, la belle-fille de Claude Monet, qui s'occupe désormais de lui depuis la disparition de sa dernière femme, Alice, en 1911, est inquiète. Durant l'été 1919, Monet a commencé à travailler sur des toiles de format plus réduit que les grandes toiles des *Décorations*. Blanche le croit fatigué. Il n'en est rien. En vérité, Monet perd la vue. Lui, l'œil, lui qui voit la lumière et les couleurs comme aucun autre, ne voit plus. Sa vue a baissé. Les heures passées face au miroir éblouissant de l'étang ont eu raison de ses yeux. Et le parasol censé atténuer les effets du soleil n'y change rien. Dès lors, ses problèmes de vue l'obsèdent et le tourmentent. Monet a déjà près de quatre-vingts ans.

En novembre 1919, Clemenceau, en médecin qu'il est resté, conseille alors à Monet de se faire opérer de la cataracte. Ce dernier se montre réticent. Légitimes appréhensions à une époque où l'anesthésie se limitait à un chiffon d'éther : « J'ai mûrement réfléchi à ce que vous m'aviez dit hier, ce qui m'a prouvé l'amitié que vous me portez, mais que voulez-vous ? J'ai grand peur qu'une opération ne me soit fatale, que l'œil malade une fois supprimé, ce soit le tour de l'autre. Alors j'aime mieux jouir de ma mauvaise vue, renoncer à peindre s'il le faut ; mais au moins voir un peu ce que j'aime, le ciel, l'eau et les arbres, sans compter ceux qui m'entourent[11]. » Son refus de se faire opérer le plonge toutefois dans une « détresse complète. De nouveau ma vue s'altère et il me faudra renoncer à peindre et devoir laisser en route tant de travaux commencés que je ne pourrai mener à bien. Quelle triste fin pour moi, et pourtant, tout cet été, j'ai travaillé avec une belle ardeur, mais il faut bien constater que cette belle ardeur cachait l'impuissance. Je ne bouge plus de mon jardin et il y aura bientôt trois ans que je n'ai été à Paris et je ne crois pas que j'y vienne jamais[12] ».

À ces problèmes de vue s'ajoute un événement personnel malheureux, qui affecte le moral de Monet : la mort, le 3 décembre 1919, d'Auguste Renoir, son vieil ami et compagnon de lutte picturale, qui était le seul à le tutoyer : « La mort de Renoir est pour moi un coup pénible. Avec lui disparaît une partie de ma vie, les luttes et les enthousiasmes de la jeunesse. C'est bien dur. Et me voilà le survivant de ce groupe[13]. » Quelques mois plus tôt, il témoignait de son admiration pour Renoir : « Combien je le plains et l'admire de surmonter sa souffrance pour peindre quand même : cela est admirable. Moi, je suis bien portant, mais je n'en suis pas plus vaillant ; c'est le plus complet découragement et le dégoût et puis, tout en étant solide, je sens que tout se détraque en moi, la vue et le reste, et que je ne puis plus aboutir à rien de bon[14]. »

Un autre événement, surtout, va remettre plus sérieusement en cause la réalisation du projet des *Nymphéas*. Le 16 janvier 1920, Clemenceau, qui est toujours le chef du gouvernement, le « Père la Victoire », est écarté de la présidence de la République lors d'un vote préparatoire. Revanche de tous les ennemis du Tigre mêlée de rancœurs et d'ingratitudes ; et ils sont nombreux chez les parlementaires. Clemenceau renonce donc à se présenter. Il démissionne de son poste de président du Conseil. Le 17 janvier, le jour où les parlementaires réunis à Versailles votent pour son adversaire Paul Deschanel, il est à Giverny, réconforté par son vieil ami : « À votre place, je n'aurais pas agi autrement ! Il y avait là une haute question de dignité devant laquelle vous, le sauveur du pays, vous ne pouviez et ne deviez pas capituler. Malheureusement, je crains bien que ce ne soit notre pauvre France qui en supporte les conséquences[15]. » Cette démission donne un coup d'arrêt au projet des *Nymphéas*.

Pour autant, le projet des *Nymphéas* n'est pas abandonné. En effet, le prestige de Clemenceau est tel et son amitié pour Monet si connue que personne n'ose remettre réellement en cause ce projet.

Cependant, il prend du retard. Les négociations n'avancent guère jusqu'à l'été. En février 1920, l'État achète néanmoins pour le musée du Luxembourg les *Femmes au jardin*, refusé au Salon de 1867. C'est Paul Léon, le directeur des Beaux-Arts, qui obtient de Monet lors d'une visite à Giverny qu'il se dessaisisse de ce tableau auquel le peintre tient tant et qui négocie avec le conseil des Musées réticent.

À l'été 1920, les négociations sont relancées grâce au journaliste Thiébault-Sisson. Bien que Monet soit rapidement fatigué et agacé par les journalistes, ce dernier est toléré à Giverny. Il est l'intime du nouveau président du Conseil, Alexandre Millerand. Il pense pouvoir faire avancer sans tarder les négociations. Des discussions s'engagent avec Monet. Fin juin 1920, il répond à Thiébault-Sisson en posant deux conditions absolues à sa donation : « garder mes toiles jusqu'à la fin [...] je ne m'en séparerai que lorsque j'aurai vu l'endroit où elles pourront être placées ; et cela d'après mes indications[16] ». Thiébault-Sisson en informe Millerand et Paul Léon. Mais Thiébault-Sisson est trop pressé et trop bavard, ce qui agace Monet, qui le remercie sèchement.

Un autre critique d'art entre alors en scène : Arsène Alexandre. Les frères Bernheim viennent de lui confier la réalisation d'un ouvrage sur Monet, à la place de Gustave Geffroy. Il est également fonctionnaire à la direction des Beaux-Arts. Début août, il s'entretient avec Monet pour son livre. Celui-ci se laisse aller avec lui à quelques confidences, à l'exaspération de Clemenceau qui finit par l'apprendre et qui souhaite que cette donation reste encore confidentielle. Flairant l'opportunité, Arsène Alexandre se fait attribuer par la direction des Beaux-Arts la mission d'organiser les modalités et conditions de la donation de Claude Monet à l'État. Il en informe Monet, qui tente de gagner du temps. En vain. Fin septembre, Arsène Alexandre organise une visite de Paul Léon à Giverny. Monet demande à Raymond Koechlin, président de la Société des amis du Louvre, d'être présent aussi pour le conseiller. Cette visite se conclut par un accord de principe et une surprise, celle de la visite de l'atelier : « À l'intérieur, ce n'est qu'une pièce immense avec un plafond vitré et, là, nous nous trouvons placés devant un étrange spectacle artistique : une douzaine de toiles posées à terre, en cercle, les unes à côté des autres, toutes longues d'environ deux mètres et hautes d'un mètre vingt ; un panorama fait d'eau et de nénuphars, de lumière et de ciel. Dans cet infini, l'eau et le ciel n'ont ni commencement ni fin. Nous semblons assister à une des premières heures de la naissance du monde. C'est mystérieux, poétique, délicieusement irréel ; la sensation est étrange : c'est un malaise et un plaisir de se voir entouré d'eau de tous côtés sans en être touché[17]. »

Dès le lendemain de cette visite, Paul Léon demande à l'architecte Louis Bonnier de concevoir un bâtiment spécial pour recevoir la série de tableaux dans les jardins de l'hôtel Biron à Paris, qui abrite le musée Rodin depuis la fin de la guerre. Par délibération du 2 octobre 1920, le conseil d'administration du musée en accepte le principe. Dès le 3 octobre, Louis Bonnier est reçu à Giverny pour discuter avec Monet et surtout prendre note de ses souhaits. L'idée essentielle de Claude Monet est que ses tableaux soient baignés par la lumière. L'installation devra donc permettre aux rayons du jour de pénétrer dans la salle d'exposition. Conclusion de l'architecte : « Dépenses formidables à prévoir pour le pavillon. » Et Louis Bonnier de se mettre au travail. Il réalise rapidement un premier avant-projet qu'il remet dès le 5 octobre à Monet. Il y énonce les difficultés techniques d'une salle elliptique et suggère une seconde option en forme de cercle. Sans attendre, Bonnier se remet alors au travail pour dessiner les plans de la future construction en optant pour la forme circulaire.

Le projet devient public. La presse dévoile l'entreprise ou ce qu'elle croit en savoir. Thiébault-Sisson est le plus rapide : « Dans cette construction, qui sera en forme de rotonde, les douze toiles seront réparties sur la muraille, bout à bout, de manière à donner à l'œil, par série, l'impression d'une toile unique. Les séries seront séparées par des intervalles relativement étroits, qui livreront passage aux entrants, aux sortants, ou feront face symétriquement à l'entrée et à la sortie. Le plafond vitré s'élèvera assez haut pour qu'il règne entre le bas du vitrage et les toiles un assez large espace que M. Claude Monet meublera, de place en place, au-dessus des intervalles qui sépareront les séries, de motifs décoratifs. L'artiste a même l'intention de décorer d'une composition assez vaste le vestibule qui précédera la rotonde[18]. » Un autre imagine « un petit temple [qui] s'élèvera dans le jardin de l'Hôtel de Biron, près du Musée Rodin. Là, au milieu des douze panneaux, nous aurons l'illusion de nous trouver dans l'îlot même de Giverny, d'où Claude Monet transforma les nénuphars blancs de son bassin en visions colorées. Nous pourrons suivre dans ses variations symphoniques ce miracle ignoré de ceux qui ne savent pas voir, mais qui nous est révélé par le regard et la main du peintre : un jour changeant sur un peu d'eau tachée de quelques fleurs[19] ». Un dernier recrée Giverny : « Il veut un pavillon spécial dans le jardin de l'hôtel de Biron, une salle ronde où ses toiles seront posées au ras du sol et se suivront sans la moindre séparation, en sorte que le spectateur placé au centre de cette salle pourra se croire dans l'île du lac japonais et verra autour de lui ce qu'il verrait dans le jardin de Giverny[20]. »

Monet est agacé par ces articles, ainsi que par les nombreuses sollicitations officielles dont il est l'objet. Le nouveau président du Conseil, Georges Leygues, veut se rendre chez lui pour fêter les quatre-vingts ans du peintre. L'Académie des beaux-arts, à qui il doit les plus dures années de sa vie, le veut pour membre. Claude Monet refuse. Toute sa vie, il a rejeté les honneurs officiels et ce n'est pas à quatre-vingts ans qu'il va commencer une carrière de peintre officiel ; lui, le Refusé du Salon. Il décline toutes ces sollicitations. Son moral est toujours en berne. Il se sent vieillir : « Tout m'est égal aujourd'hui et la peinture me dégoûte, j'entends la mienne parce que je n'en puis guère faire à présent à cause de ma vue qui décline de jour en jour. Je cherche à mener à bien ces *Décorations*, mais sans y parvenir. J'en ai fait don à l'État, mais cela me cause plus d'ennuis que cela ne vaut. Enfin, c'est le déclin, j'en ai assez[21]. »

Heureusement, le projet des *Nymphéas* suit son cours. Le 28 octobre 1920, Louis Bonnier présente à Monet ses différents projets en présence d'André

Honnorat, ministre de l'Instruction publique, de Paul Léon et de Raymond Koechlin. Monet les écarte tous ! Commentaire de l'architecte : « Tout le projet à recommencer… et rentrés à Paris[22]. » Bonnier retravaille sa copie. Il établit un premier devis : refusé, trop onéreux ! Le 20 décembre, Louis Bonnier remet une deuxième étude à Paul Léon. En vain. C'est finalement le conseil des bâtiments publics qui, en janvier 1921, bloque le projet : le pavillon n'est « pas assez Louis XV[23] ». Sans doute des querelles d'architectes ont eu raison du projet dans les jardins de l'hôtel Biron. Paul Léon ne s'en laisse pas conter pour autant : il passera outre cet avis quand il aura obtenu les crédits nécessaires. Mais c'est oublier Monet. Après avoir semblé accepter une salle circulaire, il revient brusquement à son idée de salle elliptique, ayant reçu les nouveaux plans de Bonnier. Il est finalement « déçu par la forme trop régulière de la salle qui, ainsi prévue, devient un véritable cirque[24] ». Bonnier est abattu. Son calvaire continue. Il reprend une nouvelle fois ses plans. Quant à Monet, il est tout à ses *Nymphéas*, dont le nombre de panneaux change selon les péripéties de l'avancement du projet. De douze au départ, il passe à dix, voire huit, laisse entendre Monet si le projet de construction est trop onéreux pour l'administration. Bref, le projet semble dans une impasse.

Néanmoins, Clemenceau veille. Fin mars, à peine de retour d'un voyage de six mois en Asie du Sud-Est (Indonésie, Malaisie, Birmanie, Inde), sa première préoccupation est pour son ami Monet. Dès le 1er avril, il visite l'Orangerie et le Jeu de Paume, deux bâtiments qui se trouvent dans les jardins des Tuileries, à proximité de la place de la Concorde.

Ces deux bâtiments viennent d'être affectés à la direction des Musées nationaux par l'administration des Beaux-Arts. Le Jeu de Paume est destiné à accueillir des expositions temporaires et les écoles étrangères contemporaines, et l'Orangerie devient une annexe du musée du Luxembourg, devenu trop exigu. Clemenceau, persuadé d'avoir trouvé le bon endroit, l'écrit à Monet : « Mon Cher Ami, je suis allé ce matin visiter le Jeu de Paume avec Paul Léon, Geffroy, Bonnier. Bonne lumière qu'on peut accroître à volonté en perçant le plafond. Largeur peut-être insuffisante 11 m. Nous nous sommes reportés à l'Orangerie (bord de l'eau). 13 m 50 cela me paraît très bien. On refera le plafond disposé comme vous direz. Cela coûtera plus cher que le Jeu de Paume, mais Paul Léon en fait son affaire. Je vous conseille de toper là. Auparavant il faudrait que vous vinssiez à Paris pour voir de vos yeux. Dites quand. Je serai là avec les autres. [...] Hâtez-vous, car les travaux seront un peu plus longs à l'Orangerie qu'au Jeu de Paume. À vous toujours[25]. » Une semaine plus tard, le 6 avril, Monet visite à son tour le Jeu de Paume et l'Orangerie avec Clemenceau. Monet accepte ce nouvel endroit.

Cependant, les choses n'avancent pas. Monet s'impatiente. À la mi-avril, il écrit à Paul Léon : « Songez que voilà sept mois qui viennent de se passer en pourparlers et, s'il en faut autant pour décider ce qu'il faut faire à l'Orangerie, plus un an et demi pour son exécution, où cela nous mène. Je tiens donc à vous dire et de toute nécessité, de fixer au plus tôt ce qu'il y aura à faire et c'est seulement à ce moment que je m'engage à signer un acte de donation. Car si je venais à mourir avant cela, cette donation serait nulle et non avenue[26]. » En réalité, cette situation irrite fortement Monet, qui se confie à Paul Durand-Ruel, son marchand qui le soutient depuis tant d'années : « Je suis en ce moment en difficultés avec l'administration des Beaux-Arts au sujet de ma donation. Cela ne va pas tout seul et j'en suis très énervé (ceci tout à fait entre nous) et cela m'empêche de travailler[27]. »

Fin avril, sans réponse satisfaisante, Monet se fait menaçant en s'adressant encore une fois à Paul Léon : « J'ai mûrement réfléchi à la nouvelle combinaison de l'Orangerie et je me vois avec bien des regrets dans l'obligation de renoncer à cette donation que j'étais si heureux de faire à l'État. Pensez que, si j'ai poursuivi ce grand travail, c'est avec l'idée d'une salle spéciale où chacun des différents motifs devait être montré cintré. Vous devez vous rappeler du reste que, dès le début, j'en fis une condition formelle. Aujourd'hui, avec l'Orangerie, étant donné le peu de largeur de la salle, il me faudrait exposer ces différents motifs absolument droit, par conséquent dénaturer ce que j'ai voulu faire. Je sais bien qu'il est des raisons majeures qui vous empêchent d'agir comme vous le voudriez, c'est pourquoi je me vois dans la nécessité d'y renoncer[28]. » Coup de colère et de tonnerre, qui ne semblent pourtant pas faire réagir l'administration des Beaux-Arts. Les amis de Monet tentent de le rassurer, de lui faire changer d'avis, notamment Gustave Geffroy.

Monet n'en continue pas moins à peindre, accaparé par son travail : « J'ai passé un été de travail comme jamais, ne pensant, ne vivant que pour cela. Je crois avoir fait des progrès, mais je peux me tromper et seulement croire que j'ai fait ces progrès, car ma vue faiblit de jour en jour[29]. »

En octobre, il passe quelques jours chez Clemenceau dans sa nouvelle propriété de Vendée, à Saint-Vincent-sur-Jard : « Notre ami toujours vaillant, étincelant d'esprit, était content de m'avoir dans son pays et il m'en a fait voir toutes ses beautés. Je conserve de ce séjour un souvenir inoubliable[30]. » À son retour, à la suite des différentes conversations qu'ils ont eues ensemble en Vendée, Monet se laisse finalement convaincre par Clemenceau : « J'accepte la salle de l'Orangerie si, toutefois, l'administration des Beaux-Arts s'engage à y faire les travaux que je juge indispensables. En vue de cette hypothèse, j'ai réduit plusieurs motifs des *Décorations* et je crois être arrivé à une combinaison de placement qui donnerait un heureux résultat en conservant la forme ovale que j'ai toujours voulue. Au lieu de 12 panneaux que j'avais donnés, j'en donnerai 18. Il est vrai que le nombre ne change rien à l'affaire, mais seulement la qualité, et je ne sais plus moi-même que penser de ce travail. L'essentiel est qu'il soit bien présenté et j'estime qu'après mûre réflexion, je crois être arrivé à un plan à peu près de ce que je souhaite : une première dont vous avez pu juger l'effet hier, et une deuxième dont le clou serait le fond en quatre panneaux des *Trois Saules* avec, en vis-à-vis, le *Reflet d'arbres* et, de chaque côté, un panneau de six mètres. Si l'administration accepte cette proposition et s'engage à faire les travaux nécessaires, c'est une affaire conclue[31]. »

Fort de ces conditions, Clemenceau en profite pour rencontrer Paul Léon. Un accord est trouvé. Et Clemenceau d'écrire à Gustave Geffroy : « Sur l'initiative de Monet les négociations sont reprises pour la donation des panneaux. On est d'accord sur les conditions des deux parts. Je vous avertis parce que cela vous est dû[32]. » Un rendez-vous est fixé à Giverny pour le 8 novembre. Clemenceau et Paul Léon arrivent, accompagnés de l'architecte Bonnier. Les discussions reprennent. Les ambiguïtés sont levées ; les doutes aussi. Monet semble satisfait, sauf sur un point : l'architecte. « Tout est bien, sauf entente avec l'architecte dont le plan ne me va pas[33]. » Il s'emporte contre ce dernier, qui semble vraiment ne rien comprendre : « J'ai peur que l'architecte ne se trouve en présence de difficultés et qu'il ne songe qu'à faire le moins de dépenses ; cependant il faut bien qu'une bonne fois pour toutes l'on dise franchement si le don que je fais mérite qu'on fasse le nécessaire pour que mes *Décorations* soient présentées comme je le veux[34]… »

Clemenceau, comme toujours, veille. L'architecte est remplacé. Et d'annoncer les bonnes nouvelles à Monet : Paul Léon « fera tout ce que vous voudrez. On vous soumettra les plans qui seront signés des deux parts et il n'y aura point de place pour de plus longs débats. Aussitôt le budget voté (ce sera dans quelques jours) on va se mettre au travail. Il n'y aura plus de difficultés. Plus de Bonnier. Paul Léon vient de nommer un nouvel architecte du Louvre qui agira selon ses directions[35] ». Monet est rassuré. Il retrouve une certaine bonne humeur, voire il serait presque heureux. Il est à nouveau à son travail.

Pourtant, rien n'est encore fait.

En effet, Monet rencontre le nouvel architecte, Camille Lefèvre. Et les difficultés recommencent.

Clemenceau rudoie alors Monet, après que ce dernier se montre encore insatisfait pour un problème de poutres et de lumière de l'Orangerie. Monet lui répond, agacé : « Ce que je fais sur la terre ? Eh bien ! Je peins[36]... »

Pour autant, Monet ne voit rien venir. Il est franchement irrité contre Paul Léon : « Je m'engage et lui pas, et de la façon dont cela marche, j'ai bien peur que nous n'arrivions à rien. Les Beaux-Arts sont débordés, sans le sou et ne cherchent qu'à gagner du temps[37]. » Or Monet considère qu'il n'a plus de temps à perdre. Clemenceau, qui avec beaucoup de patience continue à faire bouger les choses, lui répond : « En recevant votre dépêche, je me suis simplement dit : "Bon, en s'asseyant il se sera enfoncé un clou dans la fesse." Et votre lettre m'apprend que c'est à peu près ce qui est arrivé. » Et de lui conseiller : « Un peu d'arnica moral, une cigarette, et brosse en main dans le grand atelier de la gloire. P.S. : Ôtez les clous des chaises avant de vous asseoir dessus[38]. »

De retour à Giverny, Clemenceau constate à nouveau que son vieil ami est une fois de plus prêt à changer d'avis. Dès son retour, il écrit à Paul Léon pour le presser d'en finir. Quelques jours plus tard, le 23 mars 1922, Monet adresse à Paul Léon le détail des panneaux décoratifs pour l'établissement de l'acte notarié de la donation. Avec cette heureuse surprise : ce ne sont pas dix-huit, mais vingt-deux panneaux qui sont proposés.

Le 12 avril, l'acte notarié de la donation de Claude Monet à l'État est enfin signé devant Mᵉ Gaston Baudrez, notaire à Vernon : « Monsieur Claude Oscar Monet, artiste peintre, demeurant à

Giverny. Lequel a par ces présentes fait donation entre vifs et irrévocable à l'État français, de la pleine propriété de ses œuvres personnelles ci-après désignées formant un ensemble de dix-neuf panneaux décoratifs dit : "Série des Nymphéas", savoir : pour une première salle. Les *Nuages* [...], *Matin* [...], *Reflets verts* [...], *Soleil couchant* [...]. Total neuf (9) panneaux. Pour une seconde salle. Les *Trois Saules* [...], *Matin* [...], *Reflets d'arbres*. Total : dix (10). Total entier dix-neuf (19) panneaux. » Claude Monet a également imposé ses conditions : « Les œuvres données seront exclusivement destinées à constituer dans le bâtiment de l'Orangerie aux Tuileries, un Musée Claude Monet composé de deux salles qui seront affectées aux panneaux ci-dessus désignés sans adjonction d'aucune autre œuvre de peinture ou de sculpture. [...] Les œuvres seront remises à l'État dès que seront terminés les travaux d'aménagement de l'Orangerie des Tuileries nécessaires à leur bonne exposition. [...] L'aménagement des panneaux donnés ne pourra jamais être modifié sous aucun prétexte. [...] Les toiles, objet de la présente donation, ne pourront jamais être vernies. »

Clemenceau, soulagé et satisfait, écrit alors : « Il était temps d'en finir[39]... »

Pourtant, le soulagement est de courte durée. Monet doute. Il doute de lui-même comme de son œuvre. C'est sa faiblesse et le secret de son génie. Il est pessimiste : « Tout l'hiver j'ai fermé ma porte à tous. Je sentais que sans cela chaque jour diminuait et je voulais profiter du peu de ma vue pour mener à bien certaines de mes *Décorations*. Et j'ai eu grand tort. Car finalement, il m'a bien fallu constater que je les abîmais, que je n'étais plus capable de rien faire de beau. Et j'ai détruit plusieurs de mes panneaux. Aujourd'hui je suis presque aveugle et je dois renoncer à tout travail. C'est dur, mais c'est ainsi : triste fin malgré ma belle santé[40]. » Moins d'un mois après la signature de la donation, Clemenceau se rend à Giverny. Il reprend son inlassable travail de motivation de son ami : « Vous êtes parfaitement ridicule quand vous me dites que vous doutez de ce que vous donnerez. Vous savez fort bien que vous avez atteint la limite de ce que peut accomplir la puissance de la brosse et du cerveau. Si vous n'étiez pas poussé en même temps par une éternelle recherche de l'au-delà, vous ne seriez pas l'auteur de tant de chefs-d'œuvre dont il était bon que notre France se parât... » Et Clemenceau de lui redire sa profonde admiration : « Jusqu'à la dernière minute de votre vie, vous tenterez, et vous achèverez ainsi le plus beau cycle de labeur. Je vous aime parce que vous êtes vous, et que vous m'avez appris à comprendre la lumière. Vous m'avez ainsi augmenté. Tout mon regret est de ne pouvoir vous le rendre. Peignez, peignez toujours, jusqu'à ce que la toile en crève. Mes yeux ont besoin de votre couleur et mon cœur est heureux[41]. » À travers ces mots, Clemenceau témoigne, en effet, plus que de son amitié, d'une admiration sans commune mesure, qu'il n'aura eue pour personne d'autre, même pas pour son père.

De son côté, l'administration des Beaux-Arts exécute loyalement ses obligations ; même si son directeur, Paul Léon, est tenu informé des tourments et des découragements de Monet : « Monet, vieilli, inquiet, menacé de cécité, était en proie à des accès de découragement. Il fallait, au réveil, l'empêcher de crever ses toiles à coups de pied. Sans cesse il modifiait plans, dimensions, mesures, nous mettant tous dans l'embarras. Que de visites pour le convaincre ! […] Il fallut souvent faire appel à l'arbitrage de Clemenceau. Nous partions alors pour Giverny, lui de préférence sur le siège du chauffeur[42]… » Outre les plans annexés à l'acte de donation, Monet a déjà vu plusieurs projets d'aménagement de l'Orangerie qu'il a approuvés ou fait modifier. Le 14 juin 1922, le décret d'acceptation des *Décorations* est signé par le ministre de l'Instruction publique et des Beaux-Arts, Léon Bérard, et le président de la République, Alexandre Millerand. Dès le 17 août, les crédits sont débloqués et les travaux commencent en octobre pour s'achever en 1923. Les salles devront cependant attendre les œuvres de Monet encore quatre années, jusqu'en 1927.

En effet, la signature de l'acte de donation coïncide avec une aggravation de la cataracte de Claude Monet, ce qui décourage fortement ce dernier : « Bref, je suis très malheureux. C'est une saison perdue et, à mon âge, la dernière. À part cela, santé excellente. Il me reste à espérer un bel automne, et je ne puis songer à bouger d'ici. Mon dernier déplacement sera pour le placement de mes toiles à l'Orangerie ou peut-être à venir me faire opérer[43]. » Mais il en faut plus pour décourager Clemenceau. Il porte Monet depuis de si longs mois. Il est bien décidé à ne pas le laisser à ses tergiversations. L'opération des yeux de Monet s'impose. Il finit par obtenir que, le 8 septembre 1922, Claude Monet se rende au cabinet du docteur ophtalmologiste Charles Coutela. « Résultat : un œil absolument perdu. Opération nécessaire et même inévitable dans un temps peu lointain. En attendant un traitement qui pourrait rendre l'autre œil meilleur en me permettant de peindre. Cela dit, j'ai voulu me rendre compte des travaux de l'Orangerie. Pas un ouvrier. Silence absolu. Seul un petit tas de plâtras à la porte[44]. » Double déception et découragement de Monet. Clemenceau le rassure et l'encourage : « Merci de votre lettre qui a dû vous coûter un si grand effort. Il fallait en venir à cette décision du médecin. Une fois opéré, je ne serais pas surpris qu'en fermant le bon œil, ou en ne l'ouvrant qu'à demi vous puissiez encore peindre comme auparavant. Il y a de grandes ressources dans l'impossible[45]. »

Heureusement, le traitement du docteur Coutela porte ses fruits. Monet le remercie : « Je tiens à vous dire, dès aujourd'hui, l'effet produit par les gouttes que vous m'avez ordonnées pour mon œil gauche. C'est tout simplement merveilleux. Je vois comme je n'ai jamais vu depuis bien longtemps, aussi combien j'ai de regrets de ne pas vous avoir consulté plus tôt. Cela m'eût permis de peindre des choses possibles au lieu de croûtes que je me suis acharné à faire sans y voir que du brouillard. Je vois tout dans mon jardin. Je jouis de tous les tons. Un seul point : c'est que l'œil droit est encore plus voilé[46]. »

Rassuré par cette amélioration, Monet accepte de se faire opérer. Il est même impatient : « Je n'ai qu'un désir, qu'elle ait lieu le plus tôt possible, sans doute vers le 8 ou le 10 janvier, car je n'y vois guère[47]... » Paradoxalement, après avoir dépensé tant d'énergie à convaincre Monet, Clemenceau redoute cette opération. Et si Monet, retrouvant son œil, ne voyait dans ses toiles que des croûtes ?

Qu'en sera-t-il alors quand il aura complètement recouvré la vue ? Exercera-t-il sa fureur destructrice sur ses panneaux ?

Le 10 janvier 1923, Monet est opéré par le docteur Coutela à la clinique Ambroise-Paré de Neuilly-sur-Seine. Il est anxieux. Il a des nausées, des vomissements. En définitive, l'opération se passe très bien. Une seconde opération, prévue pour extraire la cataracte même, se déroule le 31 janvier. Mais, tandis qu'il doit rester immobile pendant trois jours, Monet se lève à plusieurs reprises, confiant à Blanche, qui veille à ses côtés, qu'il préfère être aveugle qu'immobile. La nervosité de Monet oblige le docteur Coutela à le garder à l'hôpital. La guérison est retardée par les gestes impatients de Monet. Le 17 février, Clemenceau accompagne Monet pour sa première sortie. Ils visitent ensemble le chantier de l'Orangerie. Début mars, Monet craint toujours de rester aveugle. Clemenceau le rassure : « Avec quel plaisir j'ai revu votre bonne écriture du temps où vous aviez trois yeux. Comment voulez-vous que je discute sérieusement la question de savoir si vous êtes aveugle comme Homère ou simplement fou comme nos médecins[48] ? »

Pourtant, malgré les efforts du docteur Coutela et le soutien de Clemenceau, Monet est désespéré : « Je suis absolument découragé et, bien que je lise sans efforts de 15 à 20 pages chaque jour, dehors et de loin je n'y vois plus rien avec ou sans lunettes. Et depuis deux jours les points noirs m'obsèdent. Songez que voilà six mois de la première opération, cinq que j'ai quitté la clinique et bientôt quatre que je porte les lunettes, ce qui est loin des quatre à cinq semaines pour m'habituer à ma nouvelle vision ! Six mois que j'aurais pu si bien employer si vous m'aviez dit la vérité. J'aurais pu terminer les *Décorations* que je dois livrer au mois d'avril et que je suis certain maintenant de ne pouvoir finir comme je le voudrais. C'est là mon grand chagrin et me fait regretter cette fatale opération. Pardonnez-moi de vous parler si franchement et laissez-moi vous dire que c'est criminel de m'avoir mis dans cette situation[49]. » Sens de la mesure et patience de Monet.

Le « criminel » docteur Coutela tente alors une troisième opération. Il est tellement inquiet qu'il fait part de ses doutes à Clemenceau. L'opération a, semble-t-il, réussi : « Tout est pour le mieux, la fenêtre est encore occupée par un caillot qui va se résorber[50]. » Mais Monet est toujours impatient. Clemenceau le tranquillise : « L'énergie, ô mon fils, est dans la continuité de la volonté et la patience obstinée est la moitié décisive de la force[51]. » Monet s'habitue mal aux lunettes. À vrai dire, il ne veut pas les porter tant qu'il ne voit pas ! Coutela le conseille, fait preuve de grande patience, adapte pour lui de nouvelles lunettes : « Après la visite chez Coutela si encourageant, j'attendais anxieusement les fameux verres nouveaux qui ne sont arrivés que ce matin même. Mais quelle déception ! Après avoir si bien lu chez Coutela avec je ne sais quels verres, je me croyais sauvé, mais hélas ! pas plus loin que de près, je ne peux voir avec ces lunettes. Ce ne sont que des déformations des êtres et des choses, à tel point qu'il me serait impossible de faire deux pas sans m'exposer à une chute certaine. J'ai de suite télégraphié à Coutela, croyant à une erreur car je ne puis comprendre comment j'ai pu lire couramment chez lui et ne rien voir ici. Vous aurez beau dire, c'est décourageant[52]. » Et Clemenceau de lui répondre : « Un peu de patience, petit bébé[53]... »

Monet revoit Coutela, qui redoute de plus en plus ses visites. Monet est toujours plus insatisfait : « De la visite de Coutela, il ressort qu'il ne voit, du moins pour le moment, qu'une seule chose, la déformation des lignes et des distances, ce qui certainement s'améliorera, tandis que moi, je souffre surtout de la décomposition des couleurs dont lui paraît se soucier peu[54]... » Monet demande donc au docteur Coutela l'opération du deuxième œil. Il est effrayé : « Personnellement, M. Monet m'a fait passer par de telles transes que j'étais décidé à passer la main pour ce deuxième œil[55]... » Clemenceau n'hésite pas à moquer son ami : « Tout homme, en venant au monde, a le droit d'empocher au cours de son existence un certain nombre de coups de pied au... derrière. Il faut croire que vous n'avez pas encore eu votre compte puisque vous nous donnez tant de peine pour vous attribuer quelques suppléments. [...] Vous, après avoir déclaré que vous n'y verriez plus jamais, vous déclarez maintenant que vous aimeriez mieux ne pas voir que de voir comme vous voyez maintenant. Il n'y a donc plus de place à Charenton ? [...] Donc du calme, mon doux frère enragé[56]. »

Mais Clemenceau n'est pas au bout de ses surprises : Monet ne veut plus se faire opérer ! Clemenceau n'en peut plus : « Ma vieille tête de bois, je vais vous dire un grand secret. Moi aussi, j'ai des panneaux dans la tête et je vais probablement mourir sans en avoir fait un seul comme je le voudrais. Aussi n'est-ce pas par amitié que je vous parle. Oh non ! C'est pour m'encourager. Enfon-

argot pour
tête
cez-vous ce clou dans votre caboche et tenez-vous droit, s'il vous plaît[57]. »

Monet refuse d'envisager une nouvelle opération tant qu'il n'aura pas eu l'exemple d'un autre peintre opéré de la cataracte qui aurait revu les couleurs parfaitement par la suite. Il est contrarié et boudeur en cet automne 1923. Clemenceau le caresse dans le sens du poil : « Si je vous ai tourmenté, c'est que mon amitié m'en faisait un devoir. J'ai pris pour moi le rôle le plus déplaisant. Il fallait bien vous aimer pour cela. » En novembre, il finit par se remettre au travail. Clemenceau est rassuré : « Comme j'ai été heureux, cher ami, d'apprendre que vous étiez au travail ! Il ne pouvait y avoir de meilleure nouvelle. Allez-y, vieux frère, sans regarder à droite ni à gauche et poursuivez votre chemin[58]. »

Au début de l'année 1924, pourtant, Monet doute encore. Comme toujours. L'échéance d'avril approche pour la remise des *Décorations* : « Je suis pris par le travail et aux prises avec de grandes difficultés, car si j'y vois assez bien pour écrire, il n'en est pas encore de même pour peindre. La vision d'un peintre est difficile à retrouver, mais je passe par des moments terribles et suis souvent découragé. Enfin, je fais de mon mieux, travaillant quand même, ne sortant plus, ne voyant personne pour le moment[59]. » En février, il fait part de ses inquiétudes aux frères Bernheim : « Je travaille à force, car le moment approche où il va falloir livrer mes panneaux à l'État, grosse affaire pour moi, comme vous pensez, et je fais tous mes efforts pour être prêt[60]. » Mais Monet s'alarme. Il ne sera jamais prêt. Clemenceau tente de l'apaiser : « Mon pau-

vre vieux maboul [*fool*], je crois vraiment que je vous
aime mieux quand vous êtes stupide. Malgré le
plaisir de vous aimer, je voudrais que ce ne fût
pas trop souvent[61]. »

Désespéré, Monet écrit au docteur Coutela :
« Depuis des mois, je travaille avec acharnement,
sans arriver à rien de bon. Je détruis tout ce qui
était passable. Est-ce l'âge ? Est-ce la vision défec-
tueuse ? L'un et l'autre certainement, mais surtout
la vision. Vous m'avez rendu la vue du noir sur
blanc, soit lire et écrire, et cela je ne saurais vous
en être assez reconnaissant, mais la vision du
peintre que je suis, bernique [*nothing doing*], elle est bien perdue
comme j'en étais certain et vous n'y êtes pour rien.
Je vous dis cela confidentiellement. Je le cache
autant que possible mais je suis terriblement
attristé et découragé. La vie est pour moi une
torture[62]. »

Une éclaircie redonne espoir à Monet. Les verres Zeiss que lui conseille un ami peintre, André
Barbier. Prenant prétexte de la réception de ces
nouvelles lunettes, Monet repousse la livraison
des *Décorations*. En mai, Clemenceau s'annonce
à Giverny : « J'espère que vous allez continuer de
barbouiller vos toiles. J'irai dans quelques jours
confronter mon opinion avec la vôtre au risque
de me faire malmener[63]. »

Monet en profite pour remplacer le « criminel »
docteur Coutela par l'innocent docteur Mawas. Clemenceau moque les angoisses de Monet : « Malgré
le style geignard, si commun chez les vieilles gens,
j'ai été bien content de recevoir votre lettre. Je ne
vous aurais pas écrit le premier, parce que je suis
d'avis qu'il faut vous laisser tranquille lorsque
vous travaillez. Et cela ne se comprend que trop

bien, étant donné l'intensité de l'effort nécessaire. […] Comme depuis quarante ans vous n'avez fait que des "cochonneries", cela ne vous change pas. Quelques-unes de plus ou de moins, le diable s'y reconnaîtra peut-être. Le hasard fera peut-être aussi que vous rencontrerez quelques bons coups de brosse sans y penser. Continuez donc à hurler puisque c'est ce qu'il vous faut pour peindre. […] Savez-vous ce qui m'arrive ? Un éditeur américain m'offre un million de francs pour mes mémoires. J'ai accepté à la seule condition que c'est vous qui les écririez. Au moins, pendant ce temps-là, je pourrai faire votre peinture. […] Si je suis maboul, ce qui ne m'étonnerait pas, vous êtes, vous, en rupture de Charenton[64]. » Seul Clemenceau peut se permettre de telles lettres et de telles familiarités avec Monet ; la force de leur amitié.

Le 5 août, les lunettes du docteur Mawas arrivent enfin à Giverny. Catastrophe prévisible : Monet, en redécouvrant ses tableaux, les trouve mauvais. Clemenceau le bouscule à nouveau : « Non, mon vieux Chambardeur, je n'ai eu et n'aurai jamais de doutes sur vos tableaux. […] Je ne suis pas inquiet ni de vos panneaux ni de vous-même. Vous avez fait jusqu'ici d'assez bonne peinture. Pourquoi ne continueriez vous pas ? Vous mourrez brosse en main et si après votre mort, on vous plaçait devant une toile blanche, vous y feriez encore des taches de couleur. […] Mon vieux, continuez de vous mettre en colère toutes les cinq minutes, parce que cela vous remue le sang, mais dès que vous serez redevenu vous-même, ne vous couvrez plus de ridicule en ayant l'air mécontent[65]. »

Cela n'empêche pas Monet, en octobre, d'avoir de nouveau le moral au plus bas. Il veut même remettre en question sa donation à l'État. La réponse de Clemenceau est immédiate, cinglante. Il ne plaisante plus. Il s'agit de la France : « Sur votre demande un contrat est intervenu entre vous et la France où l'État a tenu ses engagements. Vous avez demandé l'ajournement des vôtres et, avec mon intervention, vous l'avez obtenu. Moi j'ai été de bonne foi, et je ne voudrais pas que vous me fissiez passer pour un complaisant qui a desservi l'art de la France pour se plier aux lubies de son ami. Non seulement vous avez mis l'État dans l'obligation de faire d'importantes dépenses, mais vous les avez provoquées et même sanctionnées de votre approbation sur place. Il faut donc aboutir artistiquement et honorablement car il n'y a pas de si dans les engagements que vous avez pris[66]. »

whim (annotation manuscrite en marge)

Monet encaisse et recommence à travailler. Les lunettes, paire après paire, commencent à le satisfaire : « Les nouvelles lunettes reçues donnent un résultat très appréciable et surtout au point de vue des couleurs, et cela avec des verres blancs, ce qui n'était pas obtenu jusqu'ici[67]. » Mais plus Monet retrouve la vue, plus il voit ses toiles. Et plus il se laisse envahir par un profond découragement. Sans compter que sa rage destructrice peut tout anéantir d'un seul coup. À la grande crainte de tous : « Paul Valéry […] le surprit qui livrait aux flammes les études qu'il ne voulait point laisser derrière lui. Âgé de quatre-vingt-cinq ans, après avoir subi l'opération de la cataracte, il y voyait assez encore pour se livrer à une véritable hécatombe[68]. »

En décembre, nouvel accès de découragement. Il renonce sans même en avertir Clemenceau. Il écrit directement à Paul Léon, espérant mettre Clemenceau devant le fait accompli. Mais Paul Léon prévient immédiatement ce dernier, qui est profondément choqué de l'attitude de Monet. Leur amitié est sur le point de rompre : « Si vieux, si entamé qu'il soit, un homme, artiste ou non, n'a pas le droit de manquer à sa parole d'honneur — surtout quand c'est à la France que cette parole fut donnée. […] Vous m'avez écrit en Vendée : "Quoi qu'il arrive, ma parole sera tenue." J'en étais là de vos promesses. Je ne m'en laisserai pas déloger. Si je vous aimais, c'est que je m'étais donné au vous que je vous voyais être. Si vous n'êtes plus ce vous, je resterai l'admirateur de votre peinture, mais mon amitié n'aura plus rien à faire avec ce nouveau vous. Je suis vieux, moi aussi, et j'ai reçu des coups qui, à mes yeux, ne m'ont pas diminué. Mon ambition pour vous était que vous en puissiez dire autant[69]. » Il écrit à Blanche Monet : « S'il ne revient pas sur sa décision, je ne le reverrai jamais[70]. »

Monet est bouleversé par la lettre de Clemenceau. Pris entre son découragement et son amitié, il tente de se justifier. Clemenceau, guère convaincu, ne veut pas retomber dans les excès de découragement de son ami. La brouille paraît consommée entre les deux hommes. Elle dure malgré les lettres que Monet lui adresse. Dans une impasse, Monet finit par récrire à Paul Léon pour lui demander « le temps nécessaire, sans date précise pour cette livraison[71] ». Il essaie de gagner du temps et de regagner l'amitié de Clemenceau. Paul Léon, « plus peiné que surpris[72] » mais conciliant, lui répond qu'il se montrera patient, tout en espérant que son attente soit de courte durée. Monet confie au peintre Pierre Bonnard : « J'ai mal commencé l'année, crise de complet découragement, le moment approchant où il va falloir livrer ces panneaux. Cela m'obsède, et je maudis l'idée que j'ai eue de les donner à l'État. Et je vais être obligé de les donner dans un état déplorable qui me rend bien triste. Je fais tous mes efforts pour me ressaisir un peu, mais sans espoir[73]. »

En réalité, Monet est terriblement affecté par la rupture de son amitié avec Clemenceau. Mi-mars 1925, Blanche décide d'intervenir. Elle écrit directement à Clemenceau. Ce dernier cède. Le dimanche 22 mars, il est de retour à Giverny. Les deux amis tombent dans les bras l'un de l'autre. La brouille est terminée. L'amitié a repris et les *Décorations* aussi. À son retour, Clemenceau peut rassurer Paul Léon.

Cette réconciliation s'accompagne d'un petit miracle. Au cours de l'été 1925, Monet recouvre pleinement sa vue. Après presque trois années depuis la première opération, Monet peut enfin se mettre à peindre : « Ma vue s'est totalement améliorée. Je travaille comme jamais, suis content de ce que je fais et, si les nouveaux verres sont encore meilleurs, alors je ne demande qu'à vivre jusqu'à cent ans[74]. » Attentif à son amitié avec Clemenceau, il s'inquiète au milieu de l'été du silence de ce dernier. Monet se renseigne auprès de l'intéressé lui-même, qui lui répond : « Faut-il que vous soyez bourrique pour oser écrire que je vous boude[75]. » La brouille n'est déjà plus qu'un vieux souvenir.

En septembre, Monet est toujours au travail, et même dans une certaine allégresse : « Je me porte très bien. J'ai passé tout l'été à travailler avec ardeur et une joie nouvelle. Je n'ai malheureusement pas été favorisé par le temps et je n'ai pu mener à bien les nombreuses toiles entreprises, bien que, par n'importe quel temps, j'aille au travail quitte à être mouillé. Voilà l'automne et l'hiver s'annonce. Alors, je vais me remettre à ma *Décoration* afin de la livrer enfin[76]. » En octobre, il est métamorphosé : « Pris par le travail, j'oublie tout, tant je suis heureux d'avoir enfin retrouvé la vision des couleurs. C'est une vraie résurrection[77]. »

Début 1926, Claude Monet, perfectionniste, s'autorise encore quelques dernières retouches, mais les *Décorations* sont enfin terminées. Le premier à en être averti est naturellement Clemenceau : « J'ai été bien content de savoir que la première expédition n'attendait plus que la "peinture à sécher". Et puis quand vous dites que vous êtes très content, cela signifie quelque chose[78]. » Le voilà soulagé. Après plus de sept années d'un combat acharné contre lui-même et contre la cataracte et grâce au soutien et à l'amitié indéfectible de Clemenceau, Monet livre enfin le chef-d'œuvre des chefs-d'œuvre.

Le 4 avril, Clemenceau se rend à Giverny. Pour annoncer à Monet la mort de leur ami commun, Gustave Geffroy. Le coup est rude pour Monet. À près de quatre-vingt-cinq ans, il ne lui reste plus que Clemenceau comme ami. Mais quel ami ! Et Monet de faire découvrir à Clemenceau au cours de cette même journée les *Décorations* achevées : « Hier visite à Monet, que j'ai trouvé baissé. La machine humaine craque de tous côtés. Il est stoïque et même gai par moments. Ses panneaux sont finis et ne seront plus touchés. Mais il est au-dessus de ses forces de s'en séparer. Le mieux est de laisser vivre au jour le jour. [...] Je lui ai rappelé les temps de notre jeunesse, et cela l'a remonté. Il riait encore quand je suis parti[79]. »

Les panneaux ne seront installés qu'une année plus tard, le temps que Monet meure dans son jardin de Giverny, entouré de ses *Nymphéas* dont il ne veut pas se séparer : « C'est fini. Je suis aveugle. Je n'ai plus de raison de vivre. Cependant, vous m'entendez bien, tant que je serai vivant, je n'accepterai pas que ces panneaux sortent d'ici. Je suis arrivé à un point où je redoute mes propres critiques plus que celles des yeux les plus qualifiés. Il y a toutes les chances pour que ma tentative soit au-delà de mes forces. Eh bien, j'accepte de mourir sans savoir l'issue de la fortune qui peut m'être réservée. J'ai donné mes toiles à mon pays. Je m'en remets à lui du jugement[80]. » Et Clemenceau de se souvenir longtemps de ce rire qui illuminait le visage de Monet, ultime signe d'affection à leur vieil ami Gustave Geffroy, qui avait écrit si justement que les *Nymphéas* étaient « comme un bouquet de fleurs offert à la France[81] »...

Chapitre II

LE MÉDECIN ET
LE CARICATURISTE
(1840-1870)

« Ce fut tout à coup comme un voile qui se déchire : j'avais compris, j'avais saisi ce que pouvait être la peinture. »

CLAUDE MONET

« La lutte, c'est notre raison d'être. »

GEORGES CLEMENCEAU

Si Clemenceau et Monet disposent dès leur enfance d'un caractère affirmé, ils sont néanmoins fort différents. L'un est travailleur et a fait ses études de médecine, l'autre est dilettante et ne se reconnaît aucun maître. Le premier s'intéresse à tout, le second seulement à la peinture. L'un admire son père, l'autre est en conflit avec le sien.

« Si tu veux me venger, travaille ! » Benjamin Clemenceau a les menottes au poignet. Il répond à son fils, Georges, âgé alors de seize ans, qui vient de lui dire « Je te vengerai[1] ! ». En janvier 1858, le père de Clemenceau a été arrêté en vertu de la loi de sûreté générale. Napoléon III vient d'échapper à Paris à un attentat de Felice Orsini, un révolutionnaire et patriote italien. Le prétexte est tout trouvé pour faire le ménage chez les républicains. Le père du Tigre n'en est d'ailleurs pas à sa première arrestation. Déjà, au lendemain du coup d'État du 2 décembre 1851, il avait passé un mois à la prison de Nantes. Benjamin Clemenceau a le tort d'être un républicain et de ne pas s'en cacher. Ce qui n'est pas la position la plus confortable sous le régime impérial de Napoléon III. Les Clemenceau sont des bleus dans la blanche Vendée.

Georges Clemenceau est né le 28 septembre 1841. Il n'a aucune passion pour la généalogie et la recherche d'ancêtres illustres : « J'appartiens à une famille où il ne s'est rien passé[2] », même s'il reste fier de ses origines vendéennes : « Armorique et Vendée, nous sommes le pur sang des Gaules, les fils de ceux qui n'ont pas capitulé devant César[3]. » En revanche, il a pour son père Benjamin une profonde admiration : « Je crois que la seule influence qui ait eu quelque effet sur moi […], c'est celle de mon père […]. Mon père, au fond, était un romantique, qui avait transporté dans la politique, dans la sociologie, les idées littéraires de Victor Hugo. […] Dans le courant de la journée, je ne voyais pas beaucoup mon père, qui ne fichait rien, était assez occupé. Mais à table […] il parlait beaucoup de ses lectures, il lâchait sa philosophie en boutades, et peu à peu, ça entrait en moi[4]. » Benjamin Clemenceau est médecin à ses heures perdues : « Vaguement quelque chose comme médecin. […] Heureusement qu'il n'a jamais eu un seul malade — il le tuait net ! » En réalité, après avoir exercé quelque temps à Nantes, Benjamin Clemenceau vit de ses fermages à l'Aubraie, sa maison de famille. Certains craignent néanmoins son caractère : « Irascible docteur […] entrant contre ses malades récalcitrants en de violentes colères, invectivant les proches, maltraitant le mobilier, affolant les paysans atterrés. Inutile de souligner […] l'intensité de ses colères politico-religieuses ! Comment, dans cette famille forte et tourmentée, l'enfant surdoué et hypersensible n'aurait-il pas développé sa propension sentimentale à la révolte ? Son éducation physique féodale, pleine de rudesse (cheval, chasse, danse), renforce à la fois son courage indomptable et sa morgue. [...] Au lycée même, conforté par l'ire perpétuelle de son père, l'enfant, quand on parle de divinité, cesse d'être primesautier et espiègle et, ne se retenant plus, s'attaque au professeur[5]. » Sa mère, « admirable » selon Clemenceau, lui apprend le latin. Clemenceau passe aussi son enfance dans la bibliothèque de son père où se mêlent les livres sur les arts, le dessin, les lettres et la philosophie.

Après des études classiques au lycée impérial à Nantes, Clemenceau entame des études de médecine dans la même ville : « Quand on veut faire sa médecine proprement, il n'y a pas de doute : il faut la faire en province. D'abord on a de la dissection tant qu'on veut. Les macchabées ne manquent pas. Puis l'atmosphère est bonne. Il se crée entre professeurs et étudiants des liens qui ne se créent pas à Paris. Il n'y avait qu'un ennui : les bonnes sœurs. Elles menaient tout. » Anticlérical est le père, anticlérical sera le fils. Après trois années sous la tutelle des bonnes sœurs et quelques incartades, Georges Clemenceau décide de poursuivre ses études à Paris.

*

« Tu n'auras pas un sou ! » lance Adolphe Monet à son fils Claude, vingt ans, qui lui annonce qu'il veut être peintre et s'installer à Paris. Et Claude Monet de répondre : « Je m'en passerai[6]. »

Si Claude Monet passe toute sa jeunesse au Havre, il est néanmoins né à Paris le 14 novembre 1840. Ce qu'il revendique : « Je suis un Parisien de Paris[7]. » Son père y mène ses affaires jusqu'à un revers de fortune qui l'oblige à se rendre au Havre avec toute sa famille. Il s'associe avec son beau-frère qui tient une épicerie en gros et est approvisionneur de navires. Claude Monet est un enfant rebelle : « J'étais un indiscipliné de naissance ; on n'a jamais pu me plier, même dans ma petite enfance, à une règle. C'est chez moi que j'ai appris le peu que je sais. Le collège m'a toujours fait l'effet d'une prison, et je n'ai jamais pu me résoudre à y vivre, même quatre heures par jour, quand le soleil était invitant, la mer belle, et qu'il faisait si bon courir sur les falaises, au grand air, ou barboter dans l'eau. Jusqu'à quatorze ou quinze ans, j'ai vécu, au grand désespoir de mon père, cette vie assez irrégulière, mais très saine. Entre-temps, j'avais appris tant bien que mal mes quatre règles, avec un soupçon d'orthographe. Mes études se sont bornées là. Elles n'ont pas été trop pénibles, car elles s'entremêlaient pour moi de distractions[8]. » Déjà, Monet fait preuve de son caractère. Turbulent, frondeur, indiscipliné.

À son arrivée au collège, Claude Monet commence des cours de dessin avec pour professeur Jacques-François Ochard, ancien élève de David et conservateur du musée municipal du Havre. Il n'en fera pourtant jamais mention. Sa vocation est venue toute seule : « J'enguirlandais la marge de mes livres, je décorais le papier bleu de mes cahiers d'ornements ultrafantaisistes, et j'y représentais, de façon la plus irrévérencieuse, en les déformant le plus possible, la face ou le profil de mes maîtres[9]. » Finalement, Monet arrête ses études à l'été 1857, après avoir passé les épreuves du baccalauréat. Monet n'est pas particulièrement apprécié pour ses résultats scolaires, mais célèbre pour ses caricatures : « À quinze ans, j'étais connu de toute la ville comme caricaturiste. Ma réputation était même si bien établie qu'on me sollicitait platement de tous côtés pour avoir des portraits. L'abondance des commandes, l'insuffisance aussi des subsides que fournissait la générosité maternelle m'inspirèrent une résolution audacieuse et qui scandalisa bien entendu ma famille : je fis payer mes portraits. Suivant la tête des gens, je les taxais à dix ou vingt francs pour leur charge et le procédé me réussit à merveille. En un mois ma clientèle eut doublé. Je pus adopter le prix unique de vingt francs sans ralentir en rien mes commandes. Si j'avais continué je serais aujourd'hui millionnaire[10]. »

En effet, Monet expose ses caricatures en vitrine dans la boutique de la papeterie Gravier, au 99, rue de Paris, au Havre : « À la devanture du seul et unique encadreur qui fît ses frais au Havre, mes caricatures, insolemment, s'étalaient à cinq ou six de front, dans des baguettes d'or, sous un verre, comme des œuvres hautement artistiques, et quand je voyais, devant elles, les badauds en admiration s'attrouper, crier, en les montrant du doigt — c'est un tel ! —, j'en crevais d'orgueil dans ma peau[11]. »

Les relations avec son père sont tendues. Ils ne se comprennent pas. L'un ne voyant qu'un dilettante, l'autre qu'un père sévère qui le brime dans ses aspirations. Le 28 janvier 1857, Claude Monet perd sa mère. Il restera silencieux. Pas un mot sur elle de toute sa vie : « S'il eut de bons souvenirs de famille, il n'en parlait jamais. Je crois donc pouvoir dire qu'il n'en eut guère. Sa tante, Mme Lecadre, était la seule personne de ce temps dont il parlait avec affection mais jamais je ne l'entendis faire allusion à un tendre souvenir d'enfance concernant ses parents[12]. » Il peut effectivement compter sur sa tante, Marie-Jeanne Lecadre, qui l'a pris en affection. Veuve depuis septembre 1858, sans enfant, elle aime aussi la peinture : même si elle « faisait de la peinture comme en font les demoiselles[13] », selon Monet. Depuis la mort de son mari, elle vit de ses rentes, entretient des relations suivies avec le peintre Armand Gautier et possède un atelier dans lequel elle accueille Monet. Elle encourage son talent et obtient qu'il continue ses cours de dessin, malgré l'hostilité de son père. Seules les caricatures indisposent sa tante : « Il n'est pas bon de croquer aussi malicieusement ceux-là mêmes qui pourraient un jour ou l'autre t'acheter de vrais tableaux[14] ! »

Première manifestation d'orgueil du peintre Claude Monet : les tableaux d'un autre, que l'encadreur et papetier Gravier accroche régulièrement au-dessus de ses caricatures. Monet, agacé, se renseigne sur ce peintre concurrent. Il s'appelle Eugène Boudin. Il a quinze ans de plus, c'est un ancien papetier converti dans les marines. « Dans la même vitrine, souvent, juste au-dessus de mes produits, je voyais accrochées des marines que je trouvais, comme la plupart des Havrais, dégoûtantes. Et j'étais, dans mon for intérieur, très vexé d'avoir à subir ce contact, et je ne tarissais pas en imprécations contre l'idiot qui, se croyant un artiste, avait eu le toupet de les signer, contre ce "salaud" de Boudin[15]. » Monet découvre inconsciemment les prémices de sa peinture : « Pour mes yeux, habitués aux marines de Gudin, aux colorations arbitraires, aux notes fausses et aux arrangements fantaisistes des peintres à la mode, les petites compositions si sincères de Boudin, ses petits personnages si justes, ses bateaux si bien gréés, son ciel et ses eaux si exacts, uniquement dessinés et peints d'après nature, n'avaient rien d'artistique, et la fidélité m'en paraissait plus que suspecte. Aussi sa peinture m'inspirait-elle une aversion effroyable, et sans connaître l'homme, je l'avais pris en grippe[16]. » Mieux, Monet l'évite. Il n'entend pas frayer avec ce « salaud de Boudin » ; et ce, malgré les sollicitations de l'encadreur qui le presse de rencontrer Eugène Boudin, l'assurant qu'il serait de très bon conseil et qu'il connaît son métier. Claude Monet, fichu caractère, ne veut rien entendre.

Pourtant, au début de l'année 1858, Monet entre dans la papeterie Gravier et tombe sur Eugène Boudin : « Il était dans le fond de la boutique ; je ne m'étais pas aperçu de sa présence, et j'entrai. L'encadreur prend la balle au bond et, sans me demander mon avis, me présente : "Voyez donc, monsieur Boudin, c'est ce jeune homme qui a tant de talent pour la charge !" Et Boudin, immédiatement, venait à moi, me complimentait gentiment de sa voix douce, me disait : "Je les regarde toujours avec plaisir, vos croquis ; c'est amusant, c'est leste, c'est enlevé. Vous êtes doué, ça se voit tout de suite. Mais vous n'allez pas en rester là. C'est très bien pour un début, mais vous ne tarderez pas à en avoir assez, de la charge. Étudiez, apprenez à voir et à peindre, dessinez, faites du paysage. C'est si beau, la mer et les ciels, les bêtes, les gens et les arbres tels que la nature les a faits, avec leur caractère, leur vraie manière d'être, être dans la lumière, dans l'air, tels qu'ils sont[17]." »

Monet est flatté des compliments, mais n'écoute pas les conseils. Il reste distant, méfiant. Il refuse poliment les invitations d'Eugène Boudin à aller dessiner en plein champ.

Eugène Boudin ne se lasse pas. Il l'invite régulièrement. Monet s'ouvre, découvre la personne de Boudin ; même s'il reste pour le moment hermétique à sa peinture. Puis « l'été vint ; j'étais libre, à peu près, de mon temps, je n'avais aucune raison valable à donner ; je m'exécutais de guerre lasse. Et Boudin, avec une inépuisable bonté, entreprit mon éducation. Mes yeux, à la longue, s'ouvrirent, et je compris vraiment la nature ; j'ai appris en même temps à l'aimer. Je l'analysai au crayon dans ses formes, je l'étudiai dans ses colorations[18] ».

Monet achète sa première boîte de peinture. Il part à plusieurs reprises avec Eugène Boudin du côté de Montivilliers et de Rouelles. Il continue son apprentissage avec celui-ci pour y apprendre « l'exacte observation des valeurs de tons, d'atmosphère et de perspective ». Il observe Boudin. Écoute aussi ses conseils : « Tout ce qui est peint directement et sur place a toujours une force, une puissance, une vivacité de touche qu'on ne retrouve plus dans l'atelier[19] » ; « Trois coups de pinceau d'après nature valent mieux que deux jours de travail au chevalet[20] ». Et c'est la révélation : « Je le regarde plus attentivement, et puis, ce fut tout à coup comme un voile qui se déchire : j'avais compris, j'avais saisi ce que pouvait être la peinture. » La peinture se révèle à Monet. Fini les caricatures ; Monet est désormais un peintre, inspiré par la lumière du soleil et faisant de la nature son modèle. Au cours d'une de leurs après-midi, ils rencontrent un illustre poète qui les encourage dans cette voie nouvelle : « Un jour, nous nous trouvions ensemble à Sainte-Adresse et avions posé nos chevalets à l'ombre d'une tente pour nous abriter du soleil, lorsque nous vîmes arriver un monsieur respectable, apparemment de la haute société. Il nous félicita pour la hardiesse de nos procédés et nous déclara que la nature, le plein air et la peinture claire devaient nous apporter un renouveau dans l'art pictural. En partant, il nous serra la main en nous disant : "Je suis Théophile Gautier, le poète qui a failli être peintre[21]." »

À l'été 1858, Monet expose pour la première fois une de ses toiles à l'exposition municipale du Havre : *Vue prise à Rouelles*. Eugène Boudin y expose aussi deux toiles. Parallèlement, Claude Monet continue pourtant ses caricatures. Il dessine notamment un notaire avec la mention : « Notaire à marier. Grande facilité de paiement. On peut entrer en jouissance de suite. » Et Claude Monet de rendre hommage quelques décennies plus tard à l'idiot qui se croyait un artiste : « Si je suis devenu peintre, c'est à Eugène Boudin que je le dois. »

Pour devenir peintre, c'est à Paris qu'il faut être, comme le lui conseille Boudin. Première difficulté : se passer de l'argent de son père. Il a 2 000 francs d'économies grâce à ses caricatures. Les difficultés d'argent ne font que commencer. Elles dureront sa vie entière ou presque. En avril 1859, Monet part pour Paris.

*

Benjamin Clemenceau a tenu à accompagner son fils à Paris. Il lui présente quelques-uns de ses amis, dont Étienne Arago, futur maire de Paris au début de la Commune. Clemenceau étudie à l'École de médecine dans le Quartier latin. Émile Zola résume ainsi l'air du quartier : « Chaque adolescent venu à Paris étudier le droit ou la médecine se pénètre en l'espace d'une semaine d'idées républicaines, quelles que soient les convictions avec lesquelles il était arrivé. [...] La liberté, les idées nobles, l'espoir en l'avenir enivrent les jeunes gens ; ils rêvent d'une république universelle, de la fraternité entre les peuples, de la fin de la misère[22]. » Clemenceau crée même une association de républicains, sorte de club Voltaire. Son nom : « Agis comme tu penses », son objet : « ayant pour loi la science, pour condition la solidarité, pour but la justice ». La déclaration d'intention est tranchée : « Les soussignés regardent comme un devoir de rompre en fait avec les doctrines qu'ils rejettent en principes ; ils déclarent s'engager à ne jamais recevoir aucun sacrement d'aucune religion ; pas de prêtre à la naissance, pas de prêtre au mariage, pas de prêtre à la mort. »

Le 22 décembre 1861, Clemenceau sort aussi son premier journal, *Le Travail*, un hebdomadaire, et débute ainsi sa carrière de polémiste. Il résume son action par une phrase choc dans un numéro de février 1862 : « La lutte, c'est notre raison d'être. » L'aventure cesse néanmoins au huitième numéro. Clemenceau est arrêté avec ses amis. Par voie d'affiches, ils avaient appelé à manifester place de la Bastille en souvenir de l'avènement de la IIe République, le 24 février 1848.

Les arrestations, le père de Clemenceau connaît. Il accourt à Paris : « On dit qu'à l'endroit de leurs enfants la vanité des pères est presque aussi grande que leur affection ; si donc cela peut te consoler un peu, sache que ton fils s'était fait, me dit-on, une sorte de position proportionnée à son âge et au milieu duquel il vivait ; il trônait sous la galerie de l'Odéon et était bien dans le Quartier latin ; un peu plus, et sa petite notoriété allait peut-être passer le Pont-Neuf, quand on l'a arrêté en route. Heureusement pour lui du reste, il a été arrêté chez lui et non à la Bastille, car ceux qu'on a pris là ont été abattus à coups de triques et emportés comme des cadavres ; tel est le témoignage unanime de tous ceux qui y étaient. J'ai pleuré de colère et de douleur en entendant ces récits-là, et je voudrais être sûr de vivre assez pour voir la vengeance qu'on tirera, je l'espère, un jour de tous ces crimes[23]. » Tel père, tel fils.

Le 11 avril 1862, Georges Clemenceau est condamné à un mois de prison ferme. Il passe en réalité près de quatre-vingts jours en détention. Un autre de ses amis est également condamné : Ferdinand Taule. Il est enfermé à la prison de Sainte-Pélagie, destinée aux politiques et aux condamnés de délits de presse. À sa sortie de prison, Clemenceau rend régulièrement visite à Ferdinand Taule. Il fait aussi la connaissance de deux personnes qui compteront pour lui : Auguste Blanqui et Auguste Scheurer-Kestner. « Je garde en moi d'inoubliables visions de Blanqui à Sainte-Pélagie, où je reçus le premier choc des brûlants rayons noirs qui dardaient la blanche face amaigrie. [...] Dans les temps que nous traversons, cette vie de désintéressement total, dans une auréole de héros, ne découragea que les lâches du grand combat pour la justice et pour la vérité. Quiconque veut tenter de ne point passer en vain sera réconforté de la haute et sévère leçon d'une âme immuable dans la plus cruelle destinée, puisant dans la défaite incessamment renouvelée le courage que les faibles attendent de la victoire[24]. » Auguste Blanqui a pour surnom « l'Enfermé ». Il a participé à toutes les révolutions depuis 1827. Il passera trente-sept années de sa vie en prison. Il aura une influence déterminante sur Clemenceau : il « convainc Clemenceau de ne jamais plier[25] ». La leçon sera retenue sa vie durant.

Au même moment, Clemenceau rencontre donc Auguste Scheurer-Kestner. Il le présente à sa famille. À l'époque, Clemenceau est décrit comme un chien fou : « Si l'atmosphère de la maison de Thann était cordiale, le ton y restait d'un sérieux quelque peu compassé. Sa fougueuse impatience, le bouillonnement de ses idées, son instabilité effarouchaient souvent les aînés de la famille, tandis que les jeunes, tout en appréciant sa vivacité et son cœur généreux, son esprit et sa gaîté, redoutaient ses sautes d'humeur et ses emportements. Ils le voyaient comme un chien fou difficile à manier, mais plaisant à avoir près de soi, original et fidèle, toujours en avant, parfois trop en avant[26]. »

En parallèle de ses activités politiques, Clemenceau poursuit ses études de médecine. Il fréquente également la faculté de droit. En 1861, il a réussi l'externat, mais échoue les deux années suivantes à l'internat, avant d'être reçu comme « interne provisoire ». Il fait son stage à l'hôpital de Bicêtre : « J'ai vécu, pendant toute une année, au milieu des petits épileptiques de Bicêtre. Je les ai vus arriver gais, intelligents, avides de plaisir et de joie, et puis s'assombrir, à mesure que l'affreux accès se répétait, s'obscurcir, s'abêtir, tomber dans l'idiotie où surnage juste assez de vie matérielle pour que le créateur puisse se repaître à son aise de la souffrance de sa créature. Eh bien, quand ils arrivent, on pressent l'inévitable, mais on lutte. Qui sait ? On vaincra peut être[27] ? » La dureté du Tigre cache une réelle sensibilité, même si la révolte intérieure domine.

Ne souhaitant pas passer une troisième fois l'internat, Clemenceau se met à une thèse de doctorat en 1864 : « De la génération des éléments atomiques ». De l'aveu même de Clemenceau : « Ça n'a aucun intérêt. C'est une compilation. Mais enfin il y a deux ou trois passages qui pourront peut-être [...] amuser. » En réalité, sa thèse est très orientée et très inspirée par son professeur Charles Robin, chantre du positivisme et adversaire du très catholique et bonapartiste Louis Pasteur. Tout est politique avec Clemenceau. Le 13 mai 1865, il soutient sa thèse.

Brusquement, Clemenceau décide de partir pour les États-Unis : « Ce que je vais faire ? Je n'en sais rien. Je pars, voilà tout. Le hasard fera le reste, peut-être chirurgien dans l'armée fédérale, peut-être autre chose, peut-être rien[28]. » En fait, il est tombé amoureux de la belle-sœur d'Auguste Scheurer-Kestner, Hortense. Mais cette dernière est indifférente et la famille est, de toute manière, encore plus réticente. Il veut se marier. Elle refuse. Clemenceau est terriblement blessé dans son orgueil, qu'il a particulièrement sensible.

*

En avril 1859, Monet débarque à Paris. Sa première visite est pour le Salon. L'aventure de Monet et des impressionnistes est indissociablement liée au Salon ; l'une ne se comprend pas sans l'autre. En effet, le Salon est l'unique manifestation en France où un peintre peut montrer ses tableaux, les vendre et se faire connaître. Le poids du Salon est d'autant plus important qu'il n'existe alors pas d'autres galeries d'exposition ni de marchands d'art. Tout se passe donc au Salon. D'où le conseil de Boudin à Monet de se rendre à Paris.

Par la suite, Monet et ses amis impressionnistes vont se heurter au Salon. Car le jury qui sélectionne les œuvres est tenu par les membres de l'Académie des beaux-arts et les peintres ayant obtenu une médaille au Salon. L'Académie des beaux-arts dispose également d'une influence considérable dans le monde de l'art avec les trois principaux ateliers parisiens qui sont tenus par des membres de cette académie : Alexandre Cabanel, Jean-Léon Gérôme et Henri Lehmann ; cela leur permet de diffuser leurs enseignements et leurs méthodes en proscrivant toute autre forme esthétique. L'art officiel verrouille de la sorte la peinture. Ils refuseront ainsi systématiquement les tableaux proposés par les impressionnistes avant que ceux-ci ne se décident à exposer de manière indépendante grâce au soutien des premiers marchands d'arts, comme Paul Durand-Ruel, et de certains amateurs. Le marché de l'art est né, ouvrant la voie aux galeries et à leurs marchands à partir des années 1875.

Pour le moment, loin de ses affrontements futurs, Monet visite le Salon en amateur curieux. Par trois fois. Ensuite seulement, il s'astreint à rencontrer les personnes qui lui ont été recommandées.

La première personne que Monet rencontre est recommandée par la tante Lecadre. Il s'appelle

Amand Gautier. Il a trente-quatre ans. Il est peintre. Il sort des Beaux-Arts et sa première entrée
au Salon a eu lieu en 1857. Il y est à nouveau
admis en 1859. Il reçoit aimablement Monet dans
son atelier et lui montre quelques toiles. Rien de
décisif pour Monet.

La deuxième personne est recommandée par son
ancien professeur de dessin, Ochard. Il s'appelle
Lhuillier. À trente-cinq ans, il a été l'un des élèves
d'Ochard. Il bénéficie d'un atelier mis à sa disposi-
tion par Louise-Marie Becq de Fouquières, que
Monet prend pour un homme. Lhuillier a exposé
une toile au Salon et l'a vendue ; ce qui fait son
bonheur. Il peint aussi des « petits portraits à cent
francs[29] ». Rien d'extraordinaire.

Dernière recommandation, par Boudin : Monginot, un jeune peintre, âgé de trente-cinq ans
également. Il est aussi exposé au Salon. Rien de
transcendant, donc, pour Monet.

En réalité, au Salon, Claude Monet est surtout
frappé par la peinture d'un certain Troyon :
« Quand on voit les Troyon, il y en a un ou deux
énormes, le *Retour à la ferme* est merveilleux, il y
a un ciel magnifique, un ciel d'orage. Il y a beaucoup de mouvement, de vent dans les nuages : les
vaches, les chiens, sont de toute beauté. Il y a
aussi le *Départ pour le marché* : c'est un effet de
brouillard au lever du soleil. C'est superbe : c'est
surtout très lumineux. Une *Vue prise à Suresnes* :
c'est une étendue étonnante. On se croirait en
pleine campagne : il y a des animaux en masse :
des vaches dans toutes les poses : mais ça a du
mouvement et du désordre[30]. » Les inclinations de
Monet se dévoilent rapidement pour cette peinture qui vit des impressions du dehors. Troyon a

près de cinquante ans. Il est connu et reconnu, à la différence de Gautier, Lhuillier et Monginot. En effet, depuis le Salon de 1855, les commandes pour ses chevaux, ses vaches ou ses bœufs sont nombreuses. Monet lui rend visite dans son atelier de la rue de la Barrière-Rochechouart : « Je lui ai montré deux de mes natures mortes : là dessus, il m'a dit : "Eh bien, mon cher ami, vous aurez de la couleur : c'est juste d'effet ; mais il faut que vous fassiez des études sérieuses car ceci est très gentil, mais vous faites ça très facilement : vous ne perdrez jamais ça. Si vous voulez écouter mes conseils et faire de l'art sérieux, commencez par entrer dans un atelier où l'on ne fait que de la figure, des académies : apprenez à dessiner : c'est ce qui vous manque à presque tous aujourd'hui. Écoutez-moi et vous verrez que je n'ai pas tort : mais dessinez à force : on n'en sait jamais trop. Pourtant ne négligez pas la peinture : de temps en temps, allez copier au Louvre. Venez me voir souvent : montrez-moi ce que vous ferez, et, avec du courage, vous arriverez." [...] "De cette manière, vous allez acquérir des facultés : vous irez au Havre, et vous serez capable de faire de bonnes études dans la campagne et l'hiver, vous reviendrez vous fixer ici définitivement[31]." » Le programme est établi pour Monet, avec l'approbation de son père et de sa tante. Dernier conseil de Troyon : commencer chez Thomas Couture.

Monet se rend chez Couture, mais la rencontre se passe mal : « Couture, ce rageur, a totalement abandonné la peinture. Ce n'est pas dommage ; il a à cette exposition des tableaux qui sont bien mauvais[32]. »

Finalement, au début de l'année 1860, Monet

entre à l'académie Suisse, tenue par Charles Suisse, au 4, quai des Orfèvres, à Paris. Y sont passés Delacroix, Corot, Courbet. Académie libre, Monet semble y trouver son bonheur : « Je suis entouré d'une petite bande de jeunes peintres, paysagistes qui seront très heureux de vous connaître ; ce sont de vrais artistes[33]. » Il se détache de Troyon : « Je cessai peu à peu de le voir et ne me liai plus, tout compte fait, qu'avec des artistes qui cherchaient[34]. » À l'académie Suisse, Monet rencontre Camille Pissarro. Il peint, dessine, travaille un peu.

Pendant ce premier séjour parisien, Monet est surtout pris par cet « étourdissant Paris[35] ». Depuis son arrivée, il a passé beaucoup trop de temps à la brasserie de la rue des Martyrs, lieu de rencontre des poètes, puis des peintres réalistes avec Courbet comme chef de file. Lieu de débauche et de beuverie, où les filles étaient faciles, Monet l'admet : « J'allais à la fameuse brasserie de la rue des Martyrs, qui me fit perdre beaucoup de temps et me fit le plus grand mal[36]. »

Il est vrai qu'il ne reste presque rien du travail de Monet à cette époque. Une caricature, une gravure, trois tableaux. En deux ans et demi. Bref, Monet est alors plus attaché à sa vie d'étudiant qu'à sa peinture.

C'est à cette époque et dans le Quartier latin que Claude Monet rencontre pour la première fois Georges Clemenceau, par l'intermédiaire de Théodore Peloquet, journaliste politique qui s'est reconverti dans la critique d'art après le coup d'État du 2 décembre 1851 et dont il a fait la connaissance à la brasserie de la rue des Martyrs. L'un est un étudiant en médecine, bouillonnant et lancé dans les activités politiques, l'autre fait l'expérience de la vie de bohème entre découvertes, ateliers et escapades picturales. Clemenceau est déjà frappé par Monet : « Je gardais de lui l'impression d'une nature ardente, un peu bohème, et le souvenir de deux grands yeux pleins de feu, d'un nez courbe légèrement arabique, et d'une barbe noire aux poils fous[37]. » Leur rencontre n'est pas le fruit du hasard. Ils gravitent dans le même milieu de l'agitation républicaine qui s'oppose à Napoléon III, au second Empire et à ses peintres officiels. Ils ont des amis communs qui les réunissent : le docteur Paul Dubois et le journaliste Antoine Lafont, des militants républicains actifs et athées. Ils seront les témoins de mariage de Monet et membres du cercle de Clemenceau « Agis comme tu penses ». La proximité est donc grande. C'est dans cette atmosphère que les deux aventures de la République et de l'Impressionnisme puisent leurs sources. Dans l'opposition et pour la liberté.

Mais la vie de bohème de Monet s'arrête avec la conscription. En effet, en mars 1861, il est appelé à participer au tirage au sort du service militaire, qui dure alors sept ans. Il est toujours possible d'être exonéré par un versement à une caisse spéciale destinée à assurer le remplacement. Adolphe Monet est clair avec son fils : soit il se décide à travailler, soit il part pour s'endurcir au service militaire. Il n'apprécie pas la vie de son fils : « On ne m'avait pas pardonné ma fugue, on ne m'avait laissé vivre à mon gré, durant ces quatre années, que parce qu'on espérait me pincer au tournant du service militaire[38]. »

Claude Monet tire un mauvais numéro. Il doit

partir : « Les sept années qui paraissaient si dures à tant d'autres me paraissaient à moi pleines de charme. Un ami, qui était "chass'd'af'" et qui adorait la vie militaire, m'avait communiqué son enthousiasme et insufflé son goût d'aventures. Rien ne me semblait attirant comme les chevauchées sans fin au grand soleil, les razzias, le crépitement de la poudre, les coups de sabre, les nuits dans le désert sous la tente et je répondis à la mise en demeure de mon père par un geste d'indifférence superbe[39]. » Il obtient même d'être affecté au 1er régiment de chasseurs d'Afrique par dérogation ministérielle en date du 20 avril 1861.

Le 10 juin 1861, Monet est incorporé. Pour sept ans. Pourtant, le 21 novembre 1862, il est rendu à la vie civile, après avoir été rapatrié pour cause de fièvre typhoïde. Dix-sept mois de service, dont moins de douze en Algérie. Et d'en conclure : « Cela m'a fait le plus grand bien sous tous les rapports et m'a mis du plomb dans la tête[40]. » Cette année passée en Algérie est aussi pour lui un enchantement : « Je ne pensais plus qu'à peindre, grisé que j'étais par cet admirable pays[41]. » « Je voyais sans cesse du nouveau ; je m'essayais, dans mes moments de loisir, à le rendre. Vous n'imaginez pas à quel point j'appris et combien ma vision y gagna. Je ne m'en rendis pas compte tout d'abord. Les impressions de lumière et de couleur que je reçus là-bas ne devaient que plus tard se classer ; mais le germe de mes recherches futures y était[42]. » Là-bas, il réalise essentiellement des aquarelles : « À l'époque, je considérais l'aquarelle comme un moyen excellent et rapide pour rendre cette instantanéité de la lumière. Clemenceau a emporté un jour une de mes aquarelles d'Algérie et j'ai pu voir dans sa maison vendéenne cette œuvre de jeunesse qui représentait la vieille porte espagnole de la casbah d'Oran[43]. »

Au printemps 1862, Claude Monet rentre donc en France pour convalescence. Au Havre, il se remet à peindre en plein air. Désormais, il est à sa peinture. Pour toujours. À lui, le grand air avec ses pinceaux. À l'été 1862, il rencontre le peintre hollandais Jongkind au Havre au cours d'un déjeuner : « Jamais repas ne fut plus gai. En plein air, dans un jardinet de campagne, sous les arbres, en face d'une bonne cuisine rustique, son verre plein, entre deux admirateurs dont la sincérité ne faisait pas de doute, Jongkind ne se sentait pas d'aise. L'imprévu de l'aventure l'amusait : il n'était pas habitué, d'ailleurs, à être recherché de la sorte. Sa peinture était trop nouvelle et d'une note bien trop artistique pour qu'on l'appréciât, en 1862, à son prix. [...] Il fut très expansif ce jour-là. Il se fit montrer mes esquisses, m'invita à venir travailler avec lui, m'expliqua le comment et le pourquoi de sa manière et compléta par là l'enseignement que j'avais reçu de Boudin. Il fut, à partir de ce moment, mon vrai maître, et c'est à lui que je dus l'éducation définitive de mon œil[44]. »

Pour éviter qu'il ne reparte en Algérie après sa convalescence, sa tante finit par acheter son congé. Son père fait une mise au point : « Il est bien entendu [...] que tu vas travailler cette fois, sérieusement. Je veux te voir dans un atelier, sous la discipline d'un maître connu. Si tu reprends ton indépendance, je te coupe sans barguigner ta pension[45]. » Monet finit par accepter : « La combinaison ne m'allait qu'à moitié, mais je sentis bien qu'il était nécessaire, pour une fois que mon père entrait dans mes vues, de ne pas le rebuter. J'acceptai. Il fut convenu que j'aurais à Paris, dans la personne du peintre Toulmouche, qui venait d'épouser une de mes cousines, un tuteur artistique qui me guiderait et fournirait le compte rendu régulier de mes travaux[46]. »

Claude Monet a gagné. Sa famille accepte définitivement le choix de sa carrière de peintre.

En novembre, il est de retour à Paris. Auguste Toulmouche lui conseille d'entrer à l'académie du peintre Charles Gleyre. Peintre classique qui laisse néanmoins une grande autonomie à ses élèves et les pousse à trouver leur propre voie. Monet n'en fait qu'à sa tête, comme ses autres camarades. Cet atelier est surtout l'occasion de faire la connaissance de Frédéric Bazille, d'Alfred Sisley et de Pierre-Auguste Renoir. Avec Camille Pissarro, ils deviennent le noyau dur du mouvement impressionniste. Ils vont vivre les mêmes expériences, s'affronter aux mêmes réticences et vexations, éprouver les mêmes sensations et frustrations. Leurs discussions sur l'art sont nombreuses. Ils partagent le même goût pour la peinture de paysage et une réelle admiration pour les peintres de l'école de Barbizon (Millet, Daubigny, Troyon). Ils vont fonder leur propre école, basée sur le réalisme et la nature ; sans pour autant qu'aucun d'entre eux n'aliène sa liberté esthétique à l'égard des autres du groupe.

Monet ne reste finalement pas chez Gleyre. Il ne supporte pas ses enseignements, car il critique ses études de nus en lui disant : « Vous avez un bonhomme trapu : vous le peignez trapu. Il a des pieds énormes : vous les rendez tels quels. C'est très laid, tout ça. Rappelez-vous donc, jeune homme, que quand on exécute une figure, on doit toujours penser à l'antique. La nature, mon ami, c'est très bien comme élément d'étude, mais ça n'offre pas d'intérêt. Le style, voyez-vous, il n'y a que ça[47] ! » Bref, tout le contraire des idées de Monet : « La vérité, la vie, la nature, tout ce qui provoquait en moi l'émotion, tout ce qui constituait à mes yeux l'essence même, la raison d'être unique de l'art, n'existait pas pour cet homme. Je ne resterais pas chez lui. Je ne me sentais pas né pour recommencer à sa suite les *Illusions perdues* et autres balançoires. Alors à quoi bon persister[48] ? » Monet attend cependant quelques semaines pour ne pas exaspérer sa famille, qui semble rassurée par son attitude studieuse ; notamment la tante Lecadre : « Cet enfant perdu si longtemps dans une mauvaise voie, qui m'a donné bien des tourments, maintenant reconnaît ses erreurs. [...] Toutes les misères qu'il a subies l'ont transformé et préparé au travail, il me remercie de l'avoir racheté. Tout cela est dit avec simplicité et on sent qu'il me dit ce qu'il pense, et j'en suis très heureuse ainsi que son père[49]. »

Monet n'en peut plus néanmoins. En futur chef de file, il se rebelle : « Ni les uns ni les autres ne se manifestaient plus que moi pour un enseignement qui contrariait à la fois leur logique et leur tempérament. Je leur prêchai immédiatement la révolte[50]. » Cette révolte le conduit en avril 1863 à Chailly-en-Bière avec Bazille. Ils y peignent tous les deux. Bazille témoigne : « Nous sommes allés passer huit jours au petit village de Chailly près de la forêt de Fontainebleau. J'étais avec mon ami Monet, du Havre, qui est assez fort en paysage, il m'a donné des conseils qui m'ont beaucoup aidé[51]. »

Après une semaine, Monet reste sur place. Mais, après deux mois, il est rappelé à l'ordre par Toulmouche et sa tante Lecadre. De retour à Paris, il se justifie auprès d'Amand Gautier. Non, il n'a pas quitté l'académie. Au contraire, il a beaucoup travaillé. L'atelier Gleyre est fermé pour l'été. Monet revient donc au Havre. Il passe l'été avec sa famille. Il rentre à Paris chez Gleyre à l'automne. Toujours si peu convaincu. Heureusement, avec Bazille, ils apprennent que l'atelier Gleyre va fermer faute de moyens suffisants. Monet est le premier à le quitter, suivi de Bazille, Renoir et Sisley.

En mai 1864, après être retourné à Chailly pour les vacances de Pâques, Monet part avec Bazille en Normandie à Rouen, puis à Honfleur, où ils fréquentent l'auberge Saint-Siméon, et à Sainte-Adresse. Bazille raconte ainsi leur voyage : « Le bateau à vapeur nous a amenés à Honfleur par la Seine dont les bords sont fort beaux. Dès notre arrivée à Honfleur nous avons cherché nos motifs de paysage. Ils ont été faciles à trouver car le pays est le paradis. On ne peut voir de plus grasses prairies avec de plus beaux arbres. Il y a partout des vaches et des chevaux en liberté. [...] La mer, ou plutôt la Seine excessivement élargie, donne un horizon délicieux à ces flots de verdure. Nous logeons à Honfleur même chez un boulanger qui nous a loué deux petites chambres. Nous mangeons à la ferme de Saint-Siméon située sur la falaise un peu au-dessus d'Honfleur. C'est là que nous travaillons et passons nos journées[52]. » Après deux mois, Bazille revient à Paris. Monet reste. Il est émerveillé par ce qui l'entoure : « Ici [...] c'est adorable, et je découvre tous les jours des choses toujours belles. C'est à en devenir fou, tellement j'ai envie de tout faire. [...] Je me propose des choses épatantes. » Désormais, son seul atelier est le plein air face à la nature, comme le lui ont appris Boudin et Jongkind. Les lumières et les couleurs différentes selon les heures du jour sont déjà à la base de son émerveillement et de son travail. Les journées sont longues et Monet travaille sans cesse. Et d'en conclure : « Tout cela prouve qu'il ne faut penser qu'à cela. C'est à force d'observation, de réflexion que l'on trouve. Ainsi piochons et piochons continuellement[53]. »

Pourtant, à la fin de l'année 1864, Monet est obligé de rentrer à Paris. À regret. Sa famille, excédée, a menacé de lui couper les vivres. À son retour, Bazille lui propose de travailler dans un atelier commun. Il est situé au 6, rue Furstenberg et donne sur l'ancien atelier de Delacroix. Les visites sont nombreuses : Renoir et Sisley passent souvent, ainsi que Pissarro, Cézanne, Fantin-Latour et Courbet. C'est dans cette atmosphère que le groupe des impressionnistes prend forme peu à peu, nourri de leurs discussions et de leurs émulations réciproques. Leurs maîtres sont Delacroix, Corot, Millet, Daubigny, Rousseau, Courbet. Sans oublier Manet, qui ouvre la voie depuis quelques années en apportant une touche claire à la peinture, en choisissant des sujets modernes et non plus les éternelles scènes antiques ou religieuses, et qui depuis 1863 s'affronte au Salon et au public.

*

En septembre 1865, Clemenceau s'embarque à Liverpool, où son père l'avait accompagné pour lui présenter Stuart Mill et Herbert Spencer. Direction les États-Unis. Le 28 septembre, il débarque dans le port de New York. Au départ, son père est très réservé : « Séduit par l'intérêt politique qu'il tirera du séjour de son fils dans une démocratie de pointe [Georges a promis des lectures détaillées], il accepte, bien que la séparation lui soit pénible. [...] Comme son vœu est que Georges le continue, qu'il devienne, comme lui et mieux que lui, à la fois un homme de science et de philosophie, il ne s'oppose pas à ce que s'élargisse son horizon. Le jeune médecin reviendra mûri, en tout cas mieux armé pour les combats à venir, ceux qui dévoreront l'homme[54]. » Pour finir, son père lui paie son voyage et lui assure le quotidien aux États-Unis. Mais il reste très attentif à ce que son fils revienne. En 1867, il lui coupe les vivres quand Clemenceau se met en tête d'acheter une ferme dans le Middle West et s'installer définitivement aux États-Unis.

Les débuts de Clemenceau aux États-Unis sont difficiles : « J'avoue que j'ai été rêveur et fantasque comme tous les gens dont le système nerveux est un peu trop excitable et excité, mais l'expérience me corrige un peu tous les jours de ce défaut[55]. » Il réside à New York, dans Greenwich Village. Il renonce à s'établir comme médecin. Il fréquente les cercles politiques, les bibliothèques, les journaux. Il entreprend la traduction du livre de John Stuart Mill sur le positivisme d'Auguste Comte, qu'il finit par publier en 1867. Après deux ans, Clemenceau semble néanmoins découragé : « J'ai, après un long combat, renoncé à la dernière de mes illusions. Je n'entends plus rien, n'espère plus rien, et ne désire plus rien. Je suis en quête d'un cimetière où je puisse m'enterrer vivant[56]. » Spleen étrange au regard de la future carrière du Tigre.

Pourtant, Clemenceau finit par s'adapter. À partir de 1867, il commence à écrire de manière régulière pour le quotidien parisien *Le Temps* des « Lettres des États-Unis ». Près d'une centaine de lettres sur la vie politique et sociale américaine. Grâce à ce travail, il gravite dans les milieux politiques. Il découvre le système politique américain à un moment délicat de son histoire : la guerre de Sécession vient de s'achever après quatre ans et demi d'une guerre civile sanglante et meurtrière. Abraham Lincoln a été assassiné. Le pays panse ses plaies. Clemenceau, dans ses « Lettres des États-Unis », en profite pour montrer les réussites de la jeune démocratie américaine, tout en demeurant critique. Il devient un véritable expert des États-Unis. Il parle parfaitement anglais ; chose extrêmement rare à l'époque. Il admire la liberté du système politique américain : « La liberté absolue de parler et d'écrire, de se moquer, d'insulter, de médire, d'exciter à la haine et au mépris de qui et de quoi que ce soit ; et non pas une liberté platonique, mais une liberté réelle et vivante dont chacun use à ses risques et périls et dans la mesure qu'il lui convient[57]. » Il enquête également sur la question noire après l'abolition de l'esclavage : « Le vrai malheur de la race noire est qu'elle ne possède point de terre ; il n'y a point d'émancipation vraie sans la possession d'une partie au moins du sol. »

À partir de 1868, ses problèmes d'argent sont derrière lui. Grâce à l'un de ses amis avocats, Clemenceau devient également professeur de français dans une institution de jeunes filles dans la banlieue chic de New York. Il donne aussi des leçons d'équitation aux jeunes filles de bonne famille : « Qu'est-ce que je leur apprenais ? Un peu de français [...] Je leur ai appris à monter à cheval. De temps en temps, elles dégringolaient dans le fossé. » C'est alors qu'il rencontre l'une d'entre elles. Elle s'appelle Mary Plummer. Elle est originaire d'une petite ville du Wisconsin. Il finit par la demander en mariage. Mais, fidèle aux principes de son association « Agis comme tu penses », Clemenceau ne veut pas de mariage religieux : « Entre Dieu et moi, il faut choisir. » Pourtant, Mary, très croyante, tient au mariage religieux. Elle est par ailleurs orpheline, et son oncle, Horace Taylor, qui est son tuteur et l'a élevée, tient lui aussi au mariage religieux. Premier refus. Face au désespoir de sa nièce, l'oncle finit par céder. Mary répond par télégramme : « Préfère vous. » En juin 1869, Mary et Georges se marient à New York.

De ces quatre années aux États-Unis, Clemenceau a appris. Il a changé. Il a mûri : « Parti plus intransigeant que moi, il est revenu plus tolérant, ou plutôt plus pratique. Je trouvai que l'atmosphère d'utilitarisme des États-Unis avait quelque peu déformé mon Clemenceau », témoigne son ami Auguste Scheurer-Kestner.

Désormais marié, Georges retourne en France : « Je suis rentré chez mon père et j'y ai fait ce qu'il faisait lui-même. J'ai fait de la médecine en me promenant à cheval, dans la campagne. » Clemenceau entame alors une tranquille vie de gentleman-farmer vendéen.

*

Tandis que Clemenceau s'est affronté à lui-même aux États-Unis après une blessure d'orgueil et a découvert la démocratie américaine et ses libertés, Monet s'affronte à Paris au Salon et à la peinture officielle. Tous les deux se cherchent encore.

En mai 1865, Claude Monet est pour la première fois admis au Salon. Deux de ses tableaux sont acceptés. Premier succès. Les critiques sont élogieuses. Mais rapidement la confusion s'instaure avec Édouard Manet, pour la plus grande contrariété des deux peintres. Et Monet de raconter la scène : « J'étais dans les salles avec Bazille quand il rencontra une famille de sa connaissance. Il me présenta. Nous causâmes. Tout à coup arrive un monsieur en chapeau haut de forme, vif, agité, qui se jette en travers de notre groupe, serre des mains et s'écrie : "C'est dégoûtant, on ne me fait compliment que de deux tableaux qui ne sont pas de moi ! Ils sont d'un nommé Monet. Si ce garçon a du succès, c'est parce que son nom ressemble au mien !" Et tout courant, le voilà parti. C'était Manet. Un instant plus tard on l'avisait qu'il avait parlé devant moi. Il en fut contrarié. Je ne l'étais pas moins[58]. »

Conforté par ce premier succès, Monet entreprend de peindre une immense composition : *Le déjeuner sur l'herbe*. Pendant tout l'été, il est obsédé par son tableau : « Je ne pense plus qu'à mon tableau, et, si je savais le manquer, je crois que j'en deviendrais fou[59]. » Jusqu'à l'automne, il réalise des esquisses préparatoires en extérieur. Ensuite, dans son atelier de Paris, il réalise son tableau : « Je procédais, comme chacun alors, par petites études sur nature et je composais l'ensemble dans mon atelier. » Technique qu'il finit par abandonner rapidement. D'ailleurs, le tableau reste inachevé.

Le changement d'atelier, l'ampleur de la tâche et la lumière blême de l'hiver ont eu raison de la détermination de Monet. Il renonce à le présenter au Salon de 1866. La toile n'était pas à la hauteur de son exigence.

Pourtant, Monet n'abandonne pas l'idée d'être présent au Salon. Il doit y être après son succès de 1865. En quelques jours, il se met à peindre une figure grandeur nature : la *Femme à la robe verte*. Son modèle est Camille Doncieux. Elle deviendra sa première femme. Le tableau est accepté au Salon de 1866 et remarqué par les critiques (Zola en tête) ; ce qui rassure la tante Lecadre, qui l'avait encore menacé deux mois plus tôt de lui couper les vivres. Cependant, la confusion persiste avec Édouard Manet : « Manet est très tourmenté par son concurrent Monet. De sorte qu'après l'avoir manétisé il voudrait bien le démonétiser[60]. » D'autre part, Monet et ses amis ne sont pas dupes que le Salon demeure un bastion du conservatisme pictural ; ce que traduit justement Bazille, dont un des deux tableaux a été refusé : « J'ai choisi le monde moderne parce que c'est lui que je comprends le mieux, parce que c'est lui qui compte le plus pour moi... c'est pour ça que j'ai été refusé. Si j'avais peint les Grecs et les Romains, je n'aurais pas eu d'ennuis, parce que c'est là que nous restons bloqués[61]... »

Mi-avril 1866, Monet s'installe à Sèvres. Il est dans une bonne période : « Je suis de plus en plus heureux ; j'avais pris le parti de me retirer à la campagne ; je travaille beaucoup, avec plus de courage que jamais. Mon succès du Salon m'a fait vendre plusieurs toiles[62]. » Il se met à peindre les *Femmes au jardin*, une toile de grande dimension.

Il creuse une tranchée et bricole un système de poulies pour pouvoir peindre sur toute la toile sans difficulté. Camille sert encore de modèle. La lumière est déterminante dans ses phases de travail. Mais Monet n'est pas satisfait. Il est découragé, sans compter les problèmes d'argent. Il emporte le tableau avec lui à Honfleur, où il passe l'été et une partie de l'hiver : « Monet est toujours ici, travaillant à d'énormes toiles. [...] Il a une toile de près de trois mètres de haut sur une largeur en proportion : les figures sont un peu plus petites que nature, ce sont des femmes en grande toilette, cueillant des fleurs dans un jardin, toile commencée sur nature et en plein air[63]. »

Début 1867, Monet est de retour à Paris. Il est hébergé par Bazille au 20, rue Visconti. Renoir y vit aussi. Renoir et Monet travaillent ensemble sur des vues de Paris. Au Louvre, il fait une demande officielle. Non pour y copier les tableaux, mais pour y peindre les vues des balcons du Louvre. Tournant ainsi symboliquement le dos aux grands maîtres et à l'art officiel. Le tableau des *Femmes au jardin* est finalement refusé au Salon de 1867. À la surprise de Monet : « Ma manière s'était accusée, mais elle n'avait rien de révolutionnaire, à tout prendre. J'étais loin d'avoir encore adopté le principe de la division des couleurs qui ameuta contre moi tant de gens, mais je commençais à m'y essayer partiellement et je m'exerçais à des effets de lumière et de couleur qui heurtaient les habitudes reçues. Le jury, qui m'avait si bien accueilli tout d'abord, se retourna contre moi, et je fus ignominieusement blackboulé quand je présentai cette peinture nouvelle au Salon[64]. » Monet explique les combats à suivre : « Au début on croyait à un accident, à un péché de jeunesse. Mais quand on s'aperçut de la récidive, quand on constata qu'il s'agissait d'une manière nouvelle, d'une recherche opiniâtre, méthodique, les portes se fermèrent d'elles-mêmes devant notre petite phalange[65]. » Bazille, Renoir, Sisley, Pissarro et Cézanne sont refusés également. Et l'impressionnisme de se nourrir de ce refus et de cette opposition contre le Salon, contre l'art officiel qui veut de la scène antique ou historique, un style soigné et lisse et une peinture dont les couleurs ne détournent pas l'attention du sujet. Ce que Bazille résume ainsi : « Les grandes compositions classiques, c'est fini. Le spectacle de la vie quotidienne est plus passionnant[66]. »

Cette phalange d'activistes picturaux imagine alors d'exposer dans un local privé. Bazille reflète l'état d'esprit du groupe : « Dans tous les cas, le désagrément qui m'arrive cette année ne se renouvellera plus, car je n'enverrai plus rien devant le jury. Il est trop ridicule, quand on sait n'être pas une bête, de s'exposer à ces caprices d'administration, surtout quand on ne tient aucunement aux médailles et aux distributions de prix. Ce que je vous dis là, une douzaine de jeunes peintres de talent le pensent comme moi. Nous avons donc résolu de louer chaque année un grand atelier où nous exposerons nos œuvres en aussi grand nombre que nous le voudrons. Nous inviterons les peintres qui nous plaisent à nous envoyer des tableaux. Courbet, Corot, Diaz, Daubigny et beaucoup d'autres que vous ne connaissez peut-être pas, nous ont promis d'envoyer des tableaux, et approuvent beaucoup notre idée. Avec ces gens-là et Monet, qui est plus fort qu'eux tous, nous sommes sûrs de réussir. Vous verrez qu'on parlera de nous[67]. » Si l'argent leur manque pour monter et faire aboutir ce projet, Monet est déjà perçu comme leur chef de file. Sa détermination et son exigence sont entières : travailler et poursuivre son chemin sans prêter attention aux critiques. Bazille pousse son admiration jusqu'à acquérir les *Femmes au jardin*, qui ne trouvent pas preneur, en janvier 1868.

Au printemps 1867, une autre nouvelle vient bouleverser la vie de Claude Monet : Camille est enceinte. Mais Adolphe Monet ne veut rien savoir : il conseille d'abandonner Camille. Les problèmes d'argent obligent Monet à feindre la soumission. Il laisse Camille à Paris en lui promettant de lui envoyer de l'argent et de reconnaître l'enfant. En juin, Monet retrouve sa famille à Sainte-Adresse : « Je suis au sein de la famille, aussi bien que possible. On est charmant pour moi et voilà que l'on admire chaque coup de brosse. Je me suis taillé de beaucoup de besogne, j'ai une vingtaine de toiles en bon train, des marines étourdissantes et des figures et des jardins, et de tout enfin. » Monet ne cesse de peindre, notamment de nombreuses vues du Havre et de Sainte-Adresse comme la *Terrasse à Sainte-Adresse*.

Mais Claude Monet reste inquiet pour Camille. Seule, sans argent, à Paris. Il ne cesse de harceler Bazille par courrier, le suppliant de les aider. Le 8 août, Camille donne naissance à un fils, Jean : « un gros et beau garçon que malgré tout, je me sens aimer, et je souffre de penser que sa mère n'a pas de quoi manger[68] ». Bazille est choisi comme parrain ; Bazille, âme généreuse, qui subit les lettres et reproches de Monet dans de permanentes difficultés d'argent. Malgré un bref passage à Paris,

Monet reste au Havre pour peindre. Il prépare des toiles pour le Salon de 1868. Une seule toile sera admise. Zola soutient Monet : « Je ne suis pas en peine de lui. Il domptera la foule quand il le voudra. Ceux qui sourient devant les âpretés voulues de sa marine de cette année, devraient se souvenir de sa *Femme en robe verte* en 1866. Quand on peut peindre ainsi une étoffe, on possède à fond son métier, on s'est assimilé toutes les manières nouvelles, on fait ce que l'on veut. Je n'attends de lui rien que de bon, de juste et de vrai[69]. »

Au printemps 1868, sur la recommandation d'Émile Zola, Monet s'installe avec Camille et le petit Jean à l'auberge de Gloton à Bennecourt, près de Bonnières-sur-Seine. En juin, ils sont mis dehors. Les problèmes continuent. Pour ne pas parler des relations tendues avec sa famille : « Je pars ce soir pour Le Havre, voir à tenter quelque chose auprès de mon amateur. […] Ma famille ne veut plus rien faire de moi. » Monet est au désespoir. Il se jette dans la Seine pour en finir avec la vie. Par chance, la fraîcheur de l'eau le réveille. Il s'en sort et reprend le dessus. Avec Clemenceau, ils partagent à cette époque le même découragement face aux réalités du monde et de leurs vies.

Au Havre, cinq de ses tableaux sont présentés à l'Exposition maritime internationale. Boudin, Corot, Courbet, Vollon y participent aussi. Monet reçoit la médaille d'argent du jury de l'exposition, dont fait partie son ancien professeur Ochard. Monet se rassure. Courbet lui présente Alexandre Dumas. Il déjeune avec ces deux monstres. Il est fasciné par Dumas. Malgré tout, Monet n'en demeure pas moins préoccupé par Camille, Jean et les problèmes d'argent. En août, il s'installe avec Camille et le petit Jean à Fécamp, à l'écart de la famille Monet. Monet est sans réels moyens matériels d'existence. Il appelle à l'aide son ami Bazille : « Pensez à ma position, un enfant malade, et pas la moindre ressource[70]. » Les toiles de l'exposition du Havre sont même saisies.

Heureusement, en septembre 1868, il reçoit l'aide d'un amateur havrais, Louis-Joachim Gaudibert. Non seulement il désintéresse les créanciers en rachetant les toiles, mais il demande également à Monet de faire le portrait de sa femme. La rentrée d'argent le réconforte un temps, mais, au début de l'automne, bien que logé chez les Gaudibert, le moral de Monet s'assombrit : « La peinture ne va pas, et décidément je ne compte plus sur la gloire. Je m'en vais dans le troisième dessous. [...] Je suis devenu paresseux, tout m'ennuie dès que je veux travailler : je vois tout en noir. Avec cela, l'argent manque toujours. Déceptions, affronts, espérances, redéceptions[71]. » Il passe l'hiver 1868 à Étretat avec Camille et le petit Jean. Il peint les vues d'Étretat. Le moral est revenu. Pour un court instant. En effet, ses toiles sont refusées au Salon de 1869 : « Le jury a fait un grand carnage parmi les toiles des quatre ou cinq jeunes peintres avec lesquels nous nous entendons bien. [...] À part Manet qu'on n'ose plus refuser [...]. Monet est entièrement refusé. Ce qui me fait plaisir, c'est qu'il y a contre nous une vraie animosité. C'est M. Gérôme qui a fait tout le mal, il nous a traités de bande de fous, et déclaré qu'il croyait de son devoir de tout faire pour empêcher nos peintures de paraître[72]. » La lutte continue, mais les soucis d'argent aussi. Et ce, malgré l'aide de Gaudibert. La tante Lecadre n'acceptant pas Camille, elle a coupé les vivres.

En juin 1869, Monet s'installe alors à Bougival : « Je suis dans de très bonnes conditions et plein de courage pour travailler, mais hélas, ce fatal refus me retire presque le pain de la bouche et, malgré mes prix bien peu élevés, marchands et amateurs me tournent le dos. Cela surtout est attristant de voir le peu d'intérêt qu'on porte à un objet d'art qui n'a pas de cote[73]. » Les problèmes financiers persistent et les appels au secours de Monet se font plus nombreux, notamment auprès de Bazille. Renoir, qui réside près de Louveciennes, est attristé par le sort des Monet. Il leur apporte du pain : « Je suis chez mes parents et suis presque toujours avec Monet [...]. On ne bouffe pas tous les jours. Seulement, je suis tout de même content, parce que, pour la peinture, Monet est une bonne société. Je ne fais presque rien parce que je n'ai pas beaucoup de couleurs[74]. » Misère d'une vie de jeune peintre.

Monet et Renoir travaillent côte à côte. Ils s'installent notamment devant l'établissement de bains et café flottant de La Grenouillère. Ensemble, ils élaborent ce qui deviendra la « technique » de l'impressionnisme, mélange de la reproduction des reflets du soleil à la surface de l'eau et de la fragmentation de la touche et des couleurs avec un fondu du contour des objets dans la lumière environnante. Renoir s'attache plus aux visages et Monet au paysage.

Au même moment, Monet fait enfin vraiment connaissance avec Édouard Manet : « Ce fut en 1869 seulement que je le revis, mais pour entrer dans son intimité aussitôt. Dès la première rencontre, il m'invita à venir le retrouver tous les soirs dans un café des Batignolles où ses amis et lui se réunissaient, au sortir de l'atelier, pour causer. J'y rencontrai Fantin-Latour et Cézanne, Degas, qui arriva peu après d'Italie, le critique d'art Duranty, Émile Zola qui débutait alors dans les lettres, et quelques autres encore. J'y amenai moi-même Sisley, Bazille et Renoir. Rien de plus intéressant que ces causeries, avec leur choc d'opinions perpétuel. On s'y tenait l'esprit en haleine, on s'y encourageait à la recherche désintéressée et sincère, on y faisait des provisions d'enthousiasme qui, pendant des semaines et des semaines, vous soutenaient jusqu'à la mise en forme définitive de l'idée. On en sortait toujours mieux trempé, la volonté plus ferme, la pensée plus nette et plus claire[75]. » C'est dans cette atmosphère de discussions et de confrontations que se forge le groupe des impressionnistes.

Au Salon de 1870, les œuvres de Monet sont à nouveau refusées. Il bénéficie pourtant du soutien de Millet, Corot et Daubigny, qui font partie du jury. Grand bruit chez les critiques. Daubigny et Corot démissionnent. Ces refus successifs ne sont pas anodins. L'art officiel veille.

Le 28 juin 1870, Claude Monet épouse Camille Doncieux à la mairie du VIIIe arrondissement. Courbet fait partie des témoins. La famille de Monet est absente. Le 7 juillet de la même année meurt la tante Lecadre. Fini la pension qu'elle versait à Monet.

Les années 1860 n'avaient pas été faciles pour Monet. Il s'était opposé à une peinture académique qu'il rejetait et à un Salon qui le rejetait. Il avait tenté en vain d'en forcer l'entrée. La peinture de Monet et de ses amis était devenue une force d'opposition esthétique, comme les républicains face à l'Empire. Ce sont d'ailleurs des journalistes critiques d'art républicains comme Burty, Duret et Zola qui ont soutenu et qui soutiennent le mouvement.

*

À la veille de la guerre de 1870, Clemenceau et Monet sont engagés dans des trajectoires profondément différentes. L'un, après avoir goûté à la fièvre républicaine, semble désormais rangé. Il est marié et vit bourgeoisement dans sa campagne vendéenne en gentleman-farmer. L'autre est un peintre maudit, sans le sou pour sa famille et qui essuie les refus successifs du Salon. Pourtant, la guerre qui s'annonce va révéler la vraie nature des deux hommes. D'un côté, un Clemenceau qui s'engage dans l'action et ne vit que pour la politique et de l'autre, un Monet qui s'exile à Londres pour peindre et fuir une guerre qui ne le concerne pas. Tout au long de leur vie, ces deux passions les consumeront. Seul Clemenceau en franchira néanmoins la frontière pour devenir un véritable amateur d'art ; alors que Monet, à de très rares exceptions près, n'aura pour la politique aucun intérêt. Seule la peinture compte. Comme une quête exclusive, dévorante et impossible.

Chapitre III

LE TOMBEUR DES
MINISTÈRES ET L'ALIÉNÉ
(1870-1890)

« Nous n'avons pas de longues explications. On sait qui nous sommes. Ce que nous voulons tient en un mot : la République. »

GEORGES CLEMENCEAU

« En un mot, je m'ennuie à mourir dès que je n'ai plus ma peinture qui m'obsède et me tourmente bien. Je ne sais où je vais ; un jour je crois à des chefs-d'œuvre, puis ce n'est plus rien : je lutte, je lutte sans avancer. Je crois que je cherche l'impossible. »

CLAUDE MONET

« La municipalité du XVIIIᵉ arrondissement proteste avec indignation contre un armistice que le
Gouvernement ne saurait accepter sans trahison. »
Depuis le 5 septembre 1870, Georges Clemenceau
est maire de Montmartre. Le 4 septembre 1870,
Napoléon III a été défait à Sedan. C'est la chute
du second Empire tant combattu par les Clemenceau, père et fils. À Paris, un gouvernement de la
Défense nationale s'est constitué. Il est essentiellement composé de républicains. Léon Gambetta,
Jules Ferry et Jules Favre en sont les principales
figures. La présidence est laissée au gouverneur
militaire de Paris, le général Trochu. Étienne
Arago est nommé maire de Paris. Ce dernier dési-
gne, à titre exceptionnel, vingt maires d'arrondissement en attendant l'organisation d'élections. La
situation est tendue. Paris refuse la défaite, veut
continuer le combat et refuse tout armistice. Dès
le 19 septembre 1870, les Allemands s'installent
aux portes de Paris. Ils y resteront jusqu'en janvier 1871 en organisant le blocus de la capitale.
    La résistance s'organise autour de la garde
nationale, qui est devenue depuis août 1870 une

véritable armée populaire de plus de 200 000 hommes. Le 23 septembre, Clemenceau encourage les troupes : « Nous sommes les enfants de la Révolution. Inspirons-nous de l'exemple de nos pères de 1792, et comme eux nous vaincrons. » Il organise aussi la résistance au blocus en veillant à la répartition des vivres, du bois, du charbon. Il procède à des réquisitions, donne ses ordres. Indécrottable laïc, il donne ses instructions aux écoles : « Vous n'avez, en tant qu'instituteurs, aucun ordre à recevoir du curé de votre paroisse. Il faut que la liberté de conscience de chacun soit scrupuleusement respectée. Vous êtes, comme tout citoyen, absolument libres de pratiquer telle religion qui vous plaira. Vos élèves ont individuellement le même droit absolu […]. Mais il est inadmissible que vous songiez à les convoquer en corps pour assister à une cérémonie religieuse. […] Je vous enjoins de n'instituer dans votre école aucun enseignement du catéchisme[1]. »

Fin octobre, trois événements aggravent encore les choses : la reddition du maréchal Bazaine à Metz qui, avec ses 100 000 hommes, a capitulé sans livrer bataille, la reprise du village du Bourget par les Allemands et la démarche d'Adolphe Thiers, délégué du gouvernement auprès de Bismarck, pour connaître les conditions d'armistice.

Le 31 octobre, Paris s'enflamme. Les bataillons de la garde nationale menés depuis Belleville par Flourens, Vaillant et Blanqui se rendent à l'Hôtel de Ville. La foule grandit à mesure de l'avancée des soldats. Sur la place de l'Hôtel de Ville, les esprits s'échauffent. Certains appellent à renverser le gouvernement pour instituer une commune. Mais l'absence de volonté permet à Arago d'éteindre l'incendie en annonçant la convocation rapide d'élections. Le scrutin n'a pas lieu ; les bataillons des quartiers bourgeois de la capitale emmenés par Jules Ferry rétablissent la situation. Le gouvernement désavoue la municipalité. Arago démissionne. Clemenceau aussi. Ce dernier voit en Ferry un conservateur sous une étiquette républicaine et, inversement, Ferry voit en Clemenceau un allié complice des révolutionnaires. L'épisode laissera des traces. Clemenceau sera l'adversaire le plus redouté et le plus redoutable de Ferry, ministre puis président du Conseil. Le gouvernement de la Défense nationale pousse son avantage. Il organise un plébiscite qui le conforte et des élections municipales le 5 novembre. Clemenceau est élu dans le XVIIIᵉ. Avec le XIᵉ, le XIXᵉ et le XXᵉ, ce sont les arrondissements protestataires. Jules Ferry est nommé maire de Paris, Ernest Cresson préfet de police et Clément Thomas, commandant de la garde nationale. Les durs sont aux commandes.

Le blocus s'enlise. La population s'exaspère. Elle commence à s'impatienter. L'atmosphère est révolutionnaire. On parle de trahison. Le général Trochu, le gouverneur militaire de la capitale, est montré du doigt. Le 19 janvier 1871, plusieurs bataillons de la garde sont sacrifiés. Le 20 janvier, au cours d'une réunion des maires d'arrondissement organisée par Jules Favre, Clemenceau réclame la démission de Trochu. Deux jours plus tard, Clemenceau est destitué. Le 28 janvier, Jules Favre et Bismarck signent l'armistice à Versailles. Bismarck a exigé l'élection d'une assemblée pour ratifier la paix. Gambetta propose à Clemenceau d'être préfet du Rhône : « Mon cher ami, Paris a succombé. Mais il faut penser à la France et à la

République, et venir nous prêter, dans les départements, le concours sur lequel nous avons le droit de compter. Il y a une grande ville qui réclame à sa tête un républicain ardent, courageux, et cependant d'esprit conciliant et large[2]. » Clemenceau refuse. Il entend être candidat à Paris. L'enjeu est d'importance : l'assemblée future décidera de la poursuite de la guerre ou de l'acceptation des conditions de Bismarck et de l'amputation de la France. Les républicains refusent les conditions, les royalistes et les bonapartistes sont pour la paix à tout prix. Clemenceau est élu ; mais une majorité pour la paix aussi.

La réunion de l'Assemblée est prévue pour le 12 février à Bordeaux. Elle s'annonce tendue. Le 17 février, les députés alsaciens et lorrains déclarent que « l'Alsace et la Lorraine ne veulent pas être aliénées... Nous proclamons à jamais inviolable le droit des Alsaciens et des Lorrains de rester français[3] ». Seuls 107 députés républicains se joignent à cette protestation, dont Louis Blanc, Victor Hugo, Edgar Quinet et Clemenceau, en s'opposant à la ratification des conditions du traité de paix qui prévoit rien de moins que la cession de l'Alsace moins Belfort, la cession de Metz et de la Moselle, et cinq milliards de francs d'indemnité. Les préliminaires de paix sont finalement adoptés par l'Assemblée. Les députés alsaciens et lorrains quittent la salle en déclarant que tout traité serait pour eux nul et non avenu. Cruel déchirement. Certains députés républicains démissionnent. Clemenceau décide quant à lui de rester, même s'il se met en congé pendant quelques jours pour protester. Il compte revenir pour défendre la République. Et de se souvenir toujours de ce funeste abandon : « L'épreuve commença pour moi dans cette Assemblée de Bordeaux quand je vis mes meilleurs amis d'Alsace arrachés du Parlement de Paris, et que bientôt cette terrible tragédie, demeurée vivante en moi depuis cette douloureuse journée, vit son souvenir s'abîmer dans la cruelle indifférence des peuples de la terre. » Clemenceau ne croit pas à une revanche rapide. Il confie à son ami Scheurer-Kestner ses doutes sur la patience des Alsaciens. Ce dernier le rassure : « Soyez sans inquiétude, l'Alsace vous laissera le temps nécessaire. Seulement il faut qu'il lui soit bien démontré que la France ne l'oublie pas[4]. » La France n'oublia jamais.

Le 1er mars, les Parisiens ont subi le défilé des militaires allemands, condition posée pour que Belfort reste français après son héroïque résistance. Des mesquineries de l'Assemblée et du gouvernement installé à Versailles s'ajoutent au ressentiment comme la baisse de la solde des gardes nationaux. L'incendie couve. Le 18 mars, c'est l'étincelle. Au matin, les Parisiens découvrent les ordres affichés pendant la nuit : « Habitants de Paris. Depuis quelque temps, des hommes malintentionnés, sous prétexte de résister aux Prussiens qui ne sont plus dans vos murs, se sont institués les maîtres d'une partie de la ville. Les canons dérobés à l'État vont être rétablis dans les arsenaux, et pour exécuter cet acte urgent de justice et de raison, le Gouvernement compte sur votre concours. Que les bons citoyens se séparent des mauvais. Ils hâteront ainsi le retour de l'aisance de la cité et rendront service à la République elle-même, que le désordre ruinerait dans l'opinion de la France. » Thiers vise les fédérés. Ce sont les gardes de tout grade qui se sont réunis dans la fédération de la garde nationale depuis fin janvier 1871. Un comité central d'une soixantaine d'élus en assure la direction. Il s'est constitué le 15 mars 1871. Dans les faits, il s'est substitué au commandement officiel de la garde nationale. Il contrôle 215 bataillons sur 270. Un contre-pouvoir insupportable aux yeux du gouvernement de Thiers.

Le général Vinoy est chargé de mater la rébellion. C'est un échec. Les attelages chargés de récupérer les canons n'arrivent pas à temps. Le quartier s'est réveillé. Les soldats, les femmes, les enfants, les hommes : tous fraternisent. Les tambours des fédérés battent le rappel à Montmartre et à Belleville. Les « bataillons de l'ordre » restent dans leur caserne : « La garde nationale ne tire pas sur la garde nationale. » La troupe est encerclée. Elle est sommée de se rendre sans effusion. Les sommations restent vaines. Le général Lecomte ordonne alors de tirer. Les soldats sont en ligne. Fusil à l'épaule. Le cri d'un soldat qui ne veut pas tirer. La ligne met la crosse en l'air. Les soldats fraternisent. Lecomte est emmené au quartier général des fédérés, le Château-Rouge. À Belleville, aux Buttes-Chaumont, mêmes scènes de fraternisation.

Thiers et le gouvernement s'alarment de la situation. Un appel est lancé à la population. En vain. Dans l'après-midi, Thiers décide de s'installer à Versailles avec l'administration et le gouvernement. C'est le chaos dans Paris. Les casernes sont investies, les barricades sont dressées. L'ébullition de la foule est à son comble. Débordé, le comité central se réunit en urgence dans l'après-midi. Le général Clément Thomas, ancien général de la garde nationale, a été reconnu et arrêté. Il est enfermé avec le général Lecomte.

Face à cette agitation, Clemenceau tente de calmer les esprits, d'éviter les dérapages. Il est à son bureau à la mairie du XVIIIe arrondissement. Des gardiens de la paix et des gendarmes sont placés dans les sous-sols pour les protéger. Il a chargé le capitaine de la garde nationale, Mayer, de la protection des généraux Lecomte et Thomas. Mayer vient prévenir Clemenceau que la situation devient intenable. Il se précipite sur la Butte en prenant son écharpe de maire. À son arrivée, la foule gronde. Son écharpe tricolore paraît suspecte. Outre Mayer, un autre capitaine de la garde nationale et Pierre Sabourdy, membre de la commission municipale du XVIIIe arrondissement, l'escortent. Clemenceau arrive cependant trop tard. Thomas et Lecomte ont été tués par leurs propres soldats. Clemenceau se voit menacé : « Il y avait là des chasseurs, des soldats de la ligne, des gardes nationaux, des femmes et des enfants. Tout cela poussait des cris de bêtes sauvages, sans se rendre bien compte de ce qu'il faisait. J'ai observé là le phénomène pathologique qu'on pourrait appeler le délire du sang. Un souffle de folie paraissait avoir passé sur cette foule : des enfants montés sur un mur agitaient je ne sais quels trophées, des femmes échevelées, défaites, tordaient leurs bras nus en poussant des cris rauques, d'ailleurs dénués de sens. J'en vis qui pleuraient en criant plus fort que les autres. Il y avait des hommes qui dansaient ou se bousculaient dans une sorte d'agitation frénétique. [...] La situation devenait de plus en plus dangereuse pour moi. Cette foule affolée me défiant du regard en proférant son cri : "À bas les traîtres !" Quelques poings se levèrent. Je n'avais plus rien à faire en cet endroit. Je n'avais pas pu prévenir le crime. Il me restait à m'assurer du sort des prisonniers que je venais de voir passer et à empêcher qu'il n'arrivât malheur à mes prisonniers de la mairie, contre lesquels l'hostilité était grande. Je ne me tirai de cette situation dangereuse qu'à force de calme et de sang-froid. Certains hommes me menacèrent de leurs armes ; je rebroussai chemin et allai directement à eux, leur demandant d'expliquer leurs griefs contre moi. Je leur dis à plusieurs reprises qu'ils venaient de déshonorer la République et que le meurtre dont ils se félicitaient si fort aurait immanquablement les conséquences les plus désastreuses, tant pour eux que pour le pays. Mon attitude énergique les fit reculer. [...] La première parole de M. Sabourdy en arrivant au bas de la Butte fut : "Sans votre sang-froid, vous étiez perdu !"[5] »

Le 18 mars 1871 au soir, Paris est aux mains du comité central de la garde nationale. Il s'est installé à l'Hôtel de Ville. Paris fait face à Versailles. La guerre civile se prépare. Le 20 mars, l'Assemblée nationale se réunit à Versailles. Clemenceau est résolu à éviter le pire. Il propose des élections à Paris pour élire un nouveau conseil municipal de 80 membres. Il cherche à désamorcer la menace de guerre civile en tentant de restaurer une autorité légale à Paris pour éviter que les révolutionnaires ne prennent les choses en main : « Si vous voulez sortir de cette situation terrible qui m'effraye, et qui doit vous effrayer tous, parce qu'il s'agit de l'avenir de la France, si vous voulez sortir de cette situation, il faut créer une autorité de la ville de Paris, une municipalité parisienne, autour de laquelle tous les gens qui veulent que l'ordre soit rétabli, que les choses reprennent leur cours normal, puissent se grouper. Cette autorité ne peut sortir que du suffrage universel des citoyens de Paris. Il est inutile d'aller la chercher ailleurs[6]. » Le projet de loi de Clemenceau est repoussé par les députés.

Le 22 mars, Clemenceau essaie encore une fois de trouver une solution à la crise. Il se rend à l'Hôtel de Ville. Sur place, les fédérés lui notifient sa destitution et son remplacement par un délégué du comité central. Le sang de Clemenceau ne fait qu'un tour. Il refuse. Il est arrêté. Il proteste. Il est finalement relâché. Pris entre deux feux, il réussit néanmoins à faire retarder les élections organisées par le comité central. Clemenceau est minoritaire. Le comité central remporte largement les élections. Clemenceau et les autres élus minoritaires démissionnent. Le 28 mars, la Commune est proclamée. Les drapeaux rouges se mêlent aux drapeaux tricolores. *La Marseillaise* est chantée sans discontinuer.

Clemenceau est désespéré : « Je suis horriblement triste ici, comme tu peux aisément l'imaginer. Nous sommes une douzaine ou deux de simples qui nous sommes donné la tâche réjouissante de parler le langage de la raison aux aliénés de toutes couleurs qui mènent si gaiement aux abîmes ce qui reste de notre pays[7]. » Début mai, Clemenceau se rend à Bordeaux pour la réunion de l'Assemblée nationale et du Sénat. Sur place, il apprend que Thiers vient d'annuler le congrès. Il tente de revenir à Paris. En vain. La Semaine sanglante a commencé. Du 21 au 28 mai 1871, 26 000 communards sont arrêtés et 20 000 sont tués ou fusillés. Clemenceau est suspecté de sympathies révolutionnaires. Il est obligé de circuler avec de faux papiers. Il rejoint sa famille en Vendée, puis se rend chez son ami Auguste Scheurer-Kestner à Thann, qui fait partie de l'Alsace annexée par les Allemands. Ils se rendent à Belfort et à Strasbourg. Ce n'est que le 15 juin qu'il rentre à Paris, prenant la mesure des dégâts.

Battu aux élections législatives du 2 juillet, Clemenceau est élu aux élections municipales de Paris le 30 juillet au sein du conseil municipal ; les vingt maires d'arrondissement étant nommés par le gouvernement. Pendant près de cinq années, il alternera ses fonctions au sein du conseil municipal de Paris, dont il finira par être le président en novembre 1875, et son métier de médecin qui l'occupe chaque mercredi et chaque dimanche pour soigner les pauvres et les nécessiteux : « J'ai vu là, dans l'espace de quelques années, tout ce qu'on peut voir des infirmités, des souffrances d'ici-bas. Car souvent il fallait bien rendre à domicile la visite reçue au dispensaire. C'étaient de pénibles corvées. Les courses dans les pires quartiers de la Butte, ces séjours pourtant si rapides dans les cellules malsaines de ces ruches empestées où s'entassent, sous les miasmes de tous les détritus, tant de familles ouvrières qui ne quittent les germes de mort de l'atelier que pour l'infection de l'affreux logis[8]. »

Au moment de son élection comme président du conseil municipal de Paris, Clemenceau rappelle le chemin parcouru depuis la Commune : « Si tant de sacrifices ont été imposés par nous, résolument acceptés par la population parisienne en réparation de fautes qui ne sont pas les siennes, c'est que mandataires et mandants s'inspiraient d'une idée commune : prendre paisiblement possession du fait républicain et par l'action lente et continue, irrésistible d'un Conseil élu, faire passer dans les actes la conception républicaine de l'Administration communale. [...] Le caractère dominant de notre politique municipale, et en cela surtout nous sommes les vrais représentants de Paris, c'est d'être profondément imbue de l'esprit laïque, c'est-à-dire que, conformément aux traditions de la Révolution française, nous voudrions séparer le domaine de la Loi, à qui tous doivent obéissance, du domaine du Dogme, qui n'est accepté que par une fraction seulement des citoyens[9]. »

Depuis Waterloo, la France n'a jamais été autant humiliée que par la défaite de Napoléon III à Sedan et le siège des Prussiens devant Paris ensanglanté attendant la capitulation finale. Le traumatisme est profond. Alors que Napoléon faisait face à l'Europe tout entière, Napoléon III n'avait en face de lui qu'un jeune pays, plus petit que la France et incomparable par son histoire, sa richesse et sa culture ; sans compter les conditions exorbitantes de la paix : l'annexion de l'Alsace et de la Lorraine, et une indemnité de guerre qui grève sérieusement les finances de la France. Cette tragique défaite mine la société française, dont l'affaire Dreyfus révélera les divisions intimes et les éléments conflictuels et violents. Entre le Versailles réactionnaire et l'impasse de la Commune, la France s'interroge sur elle-même : « Il est [...] bien difficile de juger une époque aussi composite que la nôtre : l'extrême confusion des phénomènes et des êtres, l'apparente contradiction des faits sociaux, l'impossibilité d'embrasser la multiplicité des cas, tout cela rend difficile la perception de la trajectoire suivie : vers quoi évolue la civilisation française ? Est-ce la décadence ou le progrès[10] ? » Éternelle question française.

*

Le 19 juillet 1870, Monet est à Trouville où il passe l'été. Il y apprend que la guerre est déclarée entre la France et la Prusse. Monet n'a pas la tête politique. Seule la peinture lui importe et il ne se voit pas se réengager dans l'armée. Au contraire de Bazille, qui s'est engagé comme sous-lieutenant du 3e régiment de zouaves pour défendre la France et qui croyait en la vie : « Pour moi, je suis bien sûr de ne pas être tué, j'ai trop de choses à faire dans la vie[11]... » Pourtant, à vingt-neuf ans, les balles prussiennes l'arrachent à la vie. Un 28 novembre 1870, à Beaune-la-Rolande. Le bon Samaritain de Monet s'éteint comme il a vécu. Généreusement.

De son côté, en septembre, Monet débarque en Angleterre et commence à peindre sur les bords de la Tamise. À Londres, il fait la rencontre la plus enrichissante de sa vie : Paul Durand-Ruel. Ce dernier lui est présenté par Daubigny, que Monet a retrouvé dans la capitale anglaise : « Voilà un homme qui sera plus fort que nous tous... Achetez. Je m'engage à vous reprendre celles dont vous ne vous déferez pas et à vous donner de ma peinture en échange puisque vous la préférez[12]. » Cette rencontre est déterminante. Paul Durand-Ruel, marchand d'art, devient le plus fidèle soutien des impressionnistes, en général, et de Claude Monet, en particulier : « Sans Durand, nous serions morts de faim, nous tous les impressionnistes. Nous lui devons tout. Il s'est entêté, acharné, il a risqué vingt fois la faillite pour nous soutenir. La critique nous traînait dans la boue ; mais lui, c'était bien pis ! On écrivait : "Ces gens sont fous, mais il y a plus fou qu'eux, c'est un marchand qui les achète[13] !" » Ce que confirmera Clemenceau : « De quels tourments Durand-Ruel sauva Monet en lui permettant d'être et de demeurer lui-même à travers toutes entreprises des coalitions de médiocrités ! Grâces lui soient rendues[14]. »

Dès le mois de décembre, une toile de Monet est présentée lors de la première exposition annuelle de Durand-Ruel à Londres. Grâce au soutien de celui-ci, Monet fait venir Camille et le petit Jean. En janvier 1871, il apprend la mort de son père à Sainte-Adresse. Sans en être particulièrement affecté. À Londres, Monet retrouve Pissarro : « Monet et moi étions très enthousiasmés des paysages de Londres. Monet travaillait dans les parcs, j'habitais Lower Norwood, d'où je rayonnais dans les environs qui à cette époque étaient charmants, étudiant les effets de brume, de neige, de printemps. Nous avons uniquement travaillé sur nature. [...] Nous visitions les musées. Les aquarelles et les peintures de Turner, les Constable, les Old Chrome, ont eu certainement de l'influence sur nous. Nous admirions Gainsborough, Lawrence, Reynolds, etc., mais nous étions plus frappés par les paysagistes, qui rentraient du plein air, de la lumière et des effets fugitifs[15]. »

Fin mai, Monet quitte l'Angleterre. Les nouvelles de France semblent rassurantes ; même si le peintre, fait rare, déplore la violence de la répression de la Commune par les versaillais. Il revient en France par la Hollande : « Ce que j'en ai vu m'a paru beaucoup plus beau que ce que l'on dit[16]. » Il visite les musées hollandais. Il peint également : « Je commence à être dans le feu du travail et n'ai guère de temps[17]. » Fait significatif : Monet, qui constitue sa collection, tombe sur un lot d'estampes japonaises à Amsterdam. Ces estampes, conçues en « suites », l'influenceront grandement tout au long de sa peinture, notamment à la fin de sa vie au moment des *Nymphéas*.

À l'automne, Monet retourne à Paris, mais ne veut pas y rester. Il a besoin de nature. En décembre, il s'installe à Argenteuil. Eugène Boudin lui rend fréquemment visite : « Nous voyons souvent Monet, chez lequel nous avons pendu la crémaillère ces jours-ci : il est fort bien installé et paraît avoir une forte envie de se faire une position et je crois qu'il est appelé à prendre une des premières places dans notre école[18]. » Proche de la Seine, la nouvelle maison de Monet lui offre de nombreux paysages entre les bateaux, les péniches, le bassin d'Argenteuil, le pont de chemin de fer. Prenant le contre-pied du Salon qui expose sur les murs des tableaux célébrant une France rurale et immuable, Monet peint la modernité — Autre particularité, l'eau est partout, ce qui fait l'admiration de Manet : « Il n'y en a pas un dans toute l'école de 1830, qui plante un paysage comme lui. Et puis l'eau. Il est le Raphaël de l'eau. Il la connaît dans ses mouvements, dans toutes ses profondeurs, à toutes ses heures. J'insiste sur ce dernier mot, car Courbet a eu un cri sublime, en répondant à Daubigny, qui le complimentait sur une étude de mer : "Cela ce n'est pas une étude de mer, c'est une heure." Voilà ce que l'on ne comprend pas encore assez, c'est que l'on ne fait pas un paysage, une marine, une figure ; on fait l'impression d'une heure de la journée dans un paysage, dans une marine, sur une figure[19]. » Monet peint aussi souvent dans son jardin. Des fleurs, des fleurs… Au printemps 1872, il insère dans ses tableaux des figures humaines en prenant pour modèles Camille et son fils, Jean. Monet peint et poursuit par ses recherches sa quête esthétique. Et Boudin de constater : « Monet […] paraît satisfait de son sort, malgré la résistance qu'il éprouve à faire admettre sa peinture[20]. » Monet vend trente-huit toiles en 1872, dont vingt-neuf à Paul Durand-Ruel. Il est plus serein.

La période d'Argenteuil est l'âge d'or de l'impressionnisme. Monet, Sisley, Renoir, Pissarro forment un groupe cohérent qui s'épanouit à Argenteuil et à Pontoise. Chacun exprimant sa liberté esthétique en peignant les lumières différentes du jour et des saisons sur la nature. Le coup de pinceau se fragmente et les couleurs s'éclaircissent : « Au premier abord on distingue mal ce qui différencie la peinture de M. Monet de celle de M. Sisley et la manière de ce dernier de celle de M. Pissarro. Un peu d'étude nous apprend bientôt que M. Monet est le plus habile et le plus osé. M. Sisley le plus harmonieux et le plus craintif. M. Pissarro le plus réel et le plus naïf[21]. »

En 1873, la grande affaire est la concrétisation du projet dont parlait Bazille en 1867 : fonder une société de peintres pour défendre leurs idées et pour louer annuellement un local d'exposition. Monet, en effet, a renoncé à affronter le jury du Salon, à la suite des refus des années 1869 et 1870.

En 1867, l'idée d'organiser une exposition indépendante avait déjà été lancée, mais abandonnée pour des raisons financières. En 1873, tout le monde est partant, sauf Manet. Chacun comprend que ce dernier continue à forcer les portes du Salon. Manet reste une référence pour tous : « Manet est aussi important pour nous que Cimabue et Giotto pour les Italiens du Quattrocento. Parce que c'est la Renaissance qui est en train de venir. Et il faut que nous en soyons[22]. »

Les discussions, longues et nombreuses, se déroulent dans la maison d'Argenteuil. Tout au long de 1873, avec Pissarro, Degas et Renoir, Monet ne ménage pas ses efforts pour créer une « société anonyme coopérative des artistes-peintres, sculpteurs, graveurs et lithographes » ayant notamment pour objet « l'organisation d'expositions libres, sans jury ni récompenses honorifiques[23] ». Monet trouve quand même le temps d'aller peindre à Étretat, Sainte-Adresse et au Havre.

Enfin, le 17 janvier 1874, ils ne sont que trente à créer cette coopérative d'artistes, avec un premier objectif : organiser une exposition au printemps. Objectif atteint grâce à l'obstination de Monet. Elle se tient du 15 avril au 15 mai 1874 dans les locaux de l'ancien atelier du photographe Nadar au 35, boulevard des Capucines. Sont exposés Boudin, Bracquemond, Cézanne, Degas, Guillaumin, Lépine, Berthe Morisot, Pissarro, Renoir, Sisley et Monet. La tenue de cette exposition tient du défi. Jamais auparavant des peintres n'avaient eu l'audace de créer un Salon indépendant. Les critiquent se déchaînent : « Pour réaliser une théorie aussi extravagante on tombe dans un gâchis insensé, fou, grotesque, sans précédents heureusement dans l'art, car c'est tout simplement la négation des règles les plus élémentaires du dessin et de la peinture. Les charbonnages d'un enfant ont une naïveté, une sincérité qui font sourire, les débauches de cette école écœurent ou révoltent[24]. »

Monet est en première ligne. Il concentre les critiques. Il y présente cinq toiles. Les quatre premières portent des titres : *Déjeuner*, *Boulevard des Capucines*, *Coquelicots*, *Bateaux sortant du Havre*. Mais il manque un titre à la dernière toile. À Edmond Renoir, le frère cadet d'Auguste, qui s'occupe de l'établissement du catalogue, Monet déclare : « Ça ne pouvait vraiment pas passer pour une vue du Havre, je répondis : "Mettez *Impression*[25]". »

Et l'impressionnisme de naître avec ce titre : *Impression, soleil levant* ; aidé par un critique qui pensait de ce bon mot éreinter l'exposition. Cette exposition en 1874 fut le point de départ d'une des plus belles et des plus grandes aventures esthétiques que le monde ait connues. L'impressionnisme, c'est non seulement le génie d'une poignée d'artistes persévérants et travailleurs insatiables, mais c'est surtout l'histoire d'une quête collective d'une esthétique picturale sans précédent. L'impressionnisme a un chef de file : il s'appelle Claude Monet.

Ces cinq années vécues de manière très différente et sans relation aucune entre les deux hommes les ont révélés à eux-mêmes. Alors que l'un s'affirme comme le chef d'une école picturale libre et indépendante, l'autre s'épanouit dans la politique. Les années qui s'annoncent sont celles de la maturité. Leur point commun : leur intransigeance.

*

En 1875, est voté l'amendement Wallon à une voix de majorité qui établit de façon définitive la République, après quatre années de pouvoir personnel d'Adolphe Thiers et une Assemblée nationale partagée entre les monarchistes, les conservateurs et les républicains. Les élections législatives de mars 1876 changent la donne. Les républicains, toutes tendances confondues, sont victorieux. Ils disposent de la majorité absolue. Clemenceau est élu député. Il démissionne du conseil municipal de Paris. Il part pour dix-sept années de mandat parlementaire jusqu'à son échec en 1893. Au moment où Clemenceau devient député, il pense à son grand-père maternel qui lui avait dit : « Je serais fier si j'apprenais un jour que tu as prononcé un beau discours à la Chambre ! » Et Clemenceau se souvient : « Que de fois, plus tard, devant ces six cents têtes d'ânes, j'ai pensé à lui ! Et ce souvenir m'exaltait[26] ! »

En cinq années, Clemenceau devient le chef de l'opposition radicale-socialiste, le tombeur des ministères. Le 28 octobre 1880, à Marseille, il trace la voie : « Délivrer l'homme de l'ignorance, l'affranchir du despotisme religieux, politique, économique et l'ayant affranchi régler par la seule justice, la liberté de son initiative ; seconder par tous les moyens possibles le magnifique essor de ses facultés ; accroître l'homme en un mot, en l'élevant toujours plus haut[27]. »

Dès 1876, il a affiché son programme : mise en pratique des libertés de la presse, de réunion et d'association, séparation de l'Église et de l'État, instruction obligatoire, gratuite et laïque, révision des lois constitutionnelles en vue de supprimer le Sénat et la présidence de la République, amnistie pour les communards, service militaire obligatoire pour tous les citoyens, justice gratuite et égale pour tous, magistrature élective et temporaire, abolition de la peine de mort, diminution de la durée du mandat, décentralisation administrative, autonomie communale, rétablissement du divorce, révision des contrats ayant aliéné la propriété publique (mines, canaux, chemins de fer, etc.), juste répartition de l'impôt, impôt progressif sur le revenu et les successions, réduction de la durée légale du travail, interdiction du travail des enfants de moins de quatorze ans, établissement de caisses de retraite pour les invalides du travail et les personnages âgées, responsabilité des patrons en matière d'accidents du travail garantie par voie d'assurance, intervention des ouvriers dans l'établissement et l'application des règlements d'atelier, et réforme du système pénitentiaire. Programme qui sera finalement appliqué, à quelques exceptions près, comme la suppression du Sénat.

En mai 1877, le maréchal de Mac-Mahon, monarchiste et président de la République, entre en conflit avec la Chambre des députés. Il finit par la dissoudre. Gambetta menace : « Quand la France aura fait entendre sa voix souveraine, il faudra se soumettre ou se démettre. » Mac-Mahon finit donc par se démettre en 1879. Année 1879 qui voit *La Marseillaise* de nouveau décrétée chant national, le Parlement quitter Versailles pour revenir à Paris et le 14 Juillet devenir la fête nationale.

Début 1880, Clemenceau créée un quotidien : *La Justice*. La presse écrite occupe une place primordiale dans ces années-là. La liberté d'expression garantie, l'instruction rendue obligatoire, gratuite et laïque, la presse devient l'outil essentiel de propagande politique. Camille Pelletan, autre grande figure du radicalisme, assure le rôle de rédacteur en chef. La ligne éditoriale est claire : « Nous n'avons pas de longues explications. On sait qui nous sommes. Ce que nous voulons tient en un mot : la République. »

Clemenceau devient à la Chambre le chef de file des radicaux-socialistes. Très vite, il se détache de Gambetta et des « opportunistes ». Ces derniers, malgré les engagements pris dans le discours de Belleville en 1869 (révision constitutionnelle, séparation de l'Église et de l'État, établissement d'un impôt sur le revenu), ont choisi la prudence et une application graduelle de ce programme. Ils ne veulent pas braquer de front les paysans, la province, la petite bourgeoisie urbaine. Bref, ils attendent le moment opportun.

Clemenceau ne l'accepte pas. Ses discours montrent son impatience, son intransigeance à l'égard des opportunistes : « La génération des républicains de l'Empire aura, je crois, connu les pires douleurs : l'odieuse persécution d'un régime sans scrupule, l'invasion, l'écrasement de la patrie, la plus féroce guerre civile sous les yeux de l'étranger et, après la lutte courageuse pour le triomphe des idées, le vacillement des croyances, la peur de ce qu'on a voulu et, j'ose le dire, le haine de ce qu'on a aimé[28]. » Clemenceau est dans l'hémicycle à l'extrême gauche. Il y a pourtant plus à gauche : les socialistes. Le 25 mai 1884, au cirque Fernando, Clemenceau se prononce d'ailleurs contre le socialisme. Il ne changera jamais d'avis : « Faire comprendre aux déshérités de tout ordre qu'il n'y a pas d'émancipation véritable pour eux en dehors de celle qui viendra de leurs propres efforts, dans un milieu que l'œuvre des hommes politiques sera de leur rendre de plus en plus favorable. Oui, la République a pour programme d'aider les faibles dans leur lutte contre les forts. Mais la libération des opprimés ne viendra pas seulement d'une école, d'un groupe politique, d'un homme d'État ; ils la devront, avant tout, pour leur dignité, à eux-mêmes[29]. » Et de conclure sans appel : « Je suis pour le développement intégral de l'individu. Quant à me prononcer sur l'appropriation collective du sol, du sous-sol, je réponds catégoriquement non ! non ! Je suis pour la liberté intégrale, et je ne consentirai jamais à entrer dans les couvents et dans les casernes que vous entendez nous préparer[30]. »

Bien qu'à la tête d'un petit groupe de députés indisciplinés, Clemenceau est rapidement surnommé le « tombeur des ministères ». Son verbe fait mouche. Ses attaques laissent ses adversaires à terre. Gambetta, puis Ferry, sa bête noire depuis la Commune, font l'objet de ses foudres. Déniant contre les évidences la paternité à Ferry de l'école obligatoire, gratuite et laïque, Clemenceau l'attaque aussi sur sa politique coloniale. Il est bien le seul. Les conquêtes coloniales font l'objet d'un consensus. Dans la France amputée de 1870, l'empire colonial est le moyen pour la France de redevenir une grande puissance politique et économique. Ferry défend la politique coloniale, « fille de la politique industrielle », la parant de buts civilisateurs : « Je répète qu'il y a pour les races supérieures un droit, parce qu'il y a un devoir pour elles. Elles ont le devoir de civiliser les races inférieures. » Le but politique est aussi mis en avant : « La France ne peut être seulement un pays libre ; elle doit aussi être un grand pays, exerçant sur les destinées de l'Europe toute l'influence qui lui appartient, elle doit répandre cette influence sur le monde, et porter où elle le peut sa langue, ses mœurs, son drapeau, ses armes, son génie[31]. » Clemenceau sonne la charge. Ferry, épuisé, finit par démissionner. Gambetta le remplace. Il reste deux mois et demi. Clemenceau est à la manœuvre. Freycinet tente également sa chance. Il reste cinq mois. Clemenceau continue de dénoncer la colonisation : « N'est-il pas étrange que l'on recommence à parler des races au moment où elles se mêlent de plus en plus et où l'unité de leur caractère paraît singulièrement compromise ? La vérité, c'est qu'il y a des peuples qui rêvent de domination universelle, soit par la propagande des idées, soit par la conquête matérielle[32]. » Pendant toute la législature, Clemenceau ne cesse de s'opposer à la colonisation. En mars 1885, alors que de nouveaux crédits sont demandés pour le Tonkin par Ferry, il explose : « Tout débat est fini entre nous ; nous ne voulons plus vous entendre ; nous ne pouvons plus discuter avec vous des grands intérêts de la patrie. […] Ce ne sont plus des ministres que j'ai devant moi, ce sont des accusés de haute trahison sur lesquels, s'il subsiste encore en France un principe de responsabilité et de justice, la main de la loi ne tardera pas à s'abattre[33]. » Les crédits ne sont pas votés. Ferry est désavoué. Sonné. Terrassé. Il ne reviendra plus au pouvoir. Clemenceau se chargeant de lui barrer la route systématiquement ; faisant même élire Sadi Carnot à la présidence de la République : « Je vote pour le plus bête. » Et le 30 juillet, Clemenceau de conclure : « Regardez l'histoire de la conquête de ces peuples que vous dites barbares, et vous y verrez la violence, tous les crimes déchaînés, l'oppression, le sang coulant à flots, et le faible opprimé, tyrannisé par le vainqueur. Voilà l'histoire de notre civilisation [...]. Non, il n'y a pas de droit de nations dites supérieures contre les nations inférieures ; il y a la lutte pour la vie, qui est une nécessité fatale, qu'à mesure que nous nous élevons dans la civilisation, nous devons contenir dans les limites de la justice et du droit ; mais n'essayons pas de revêtir la violence [du colonisateur] du nom hypocrite de civilisation ; ne parlons pas de droit, de devoir[34] ! »

*

De 1875 à 1879, Monet poursuit son face-à-face avec la nature et ses transformations au fil des saisons ; sans que les problèmes d'argent soient réglés pour autant. En 1875, ils sont toujours là. La société des impressionnistes a dû être dissoute en décembre 1874 ; l'exposition ayant été déficitaire. Par ailleurs, Paul Durand-Ruel doit restreindre, puis suspendre provisoirement ses achats. Monet doit trouver alors de nouveaux amateurs. Il sollicite Manet : « ma boîte à couleurs sera longtemps fermée à présent, si je ne puis me tirer d'affaire[35] » ; bienveillant, Manet aide Monet.

En mars 1875, à l'initiative de Renoir, une vente aux enchères est organisée à Drouot avec près de 200 œuvres de Monet, Renoir, Sisley et Berthe Morisot. C'est un « désastre », selon le mot de Renoir : « Deux camps se forment qui en viennent aux mains. Des agents sont appelés. On accourt de la rue. L'hôtel Drouot est envahi. C'est la bagarre. Le passage à tabac commence. On est obligés de fermer les portes jusqu'au moment où le calme se rétablit. [...] À partir de ce jour-là nous avions nos défenseurs et, ce qui valut mieux, nos amateurs[36]. » Si le mouvement est critiqué, il est désormais reconnu : « Aux plus beaux jours des grandes luttes du romantisme contre l'Académie, on n'a certainement pas entendu plus de malédictions et aussi plus d'expressions enthousiastes que cette après-midi, devant les tableaux de Mlle Morisot et de MM. Claude Monet, A. Renoir et Sisley[37]. » Encore une fois, les impressionnistes font l'événement et deviennent incontournables.

En avril 1876, une deuxième exposition impressionniste se tient à la galerie Durand-Ruel. Des tensions apparaissent au sein du groupe. Ils ne sont plus que quinze à exposer. Les critiques sont encore au rendez-vous. *Le Figaro* : « Cinq ou six aliénés, dont une femme, un groupe de malheureux atteints de la folie de l'ambition[38] » ; « La rue Le Peletier a du malheur. Après l'incendie de l'Opéra voici un nouveau désastre qui s'abat sur le quartier[39] ». Le *New York Tribune* : « Aucun de ses membres ne montre les signes d'un talent de premier ordre et, assurément, les doctrines "impressionnistes" me frappent comme étant incompatibles, d'un point de vue artistique, avec l'existence même d'un talent de premier ordre. Il vous faut avoir une totale absence d'imagination pour les saisir[40]. » Émile Zola vante néanmoins le talent de Monet : « Claude Monet est, sans aucun doute, le chef du groupe. Son pinceau se distingue par un éclat extraordinaire[41] » ; ainsi que Mallarmé :

« Claude Monet aime l'eau, c'est son don spécial d'en représenter la mobilité et la transparence, eau de mer ou de rivière, grise et monotone, ou de la couleur du ciel. Je n'ai jamais vu de bateau plus légèrement suspendu sur l'eau que dans ses tableaux, ou gaze plus mobile et plus légère que son atmosphère en mouvement[42]. » Dans ce combat contre l'art officiel, les peintres trouvent certains écrivains visionnaires à leurs côtés, animés des mêmes espoirs et des mêmes desseins.

De nouveaux acheteurs et de nouveaux soutiens se manifestent pour Claude Monet, comme Ernest Hoschedé, le directeur d'un des grands magasins parisiens de l'avenue de l'Opéra, Le Gagne-Petit, jusqu'à sa faillite, Victor Chocquet, qui travaille à la direction des Douanes, le critique d'art Théodore Duret, le baryton Jean-Baptiste Faure, Gustave Caillebotte, le docteur Georges de Bellio, le banquier Ernest May, Henri Rouart. Au printemps 1876, Ernest Hoschedé, qui a acquis *Impression, soleil levant*, l'invite à décorer le château de Rottembourg, à Montgeron, dont a hérité sa femme Alice. De cette commande naît une heureuse rencontre avec Alice Hoschedé. Elle deviendra la seconde femme de Monet. Après l'intermède à Montgeron, Claude Monet revient à Argenteuil et retrouve ses soucis d'argent : « À moins d'une apparition subite de riches amateurs, nous allons être expulsés de cette gentille petite maison [...] où je pouvais si bien travailler. [...] J'étais pourtant si plein d'ardeur et j'avais bien des projets. » Ce qu'il faut comprendre, c'est que les difficultés financières de Monet viennent de son train de vie. Il ne conçoit pas de vivre sans une femme de chambre, un domestique, un jardinier. Ni sans recevoir généreusement ses amis avec le vin qui va avec. Sans oublier la blanchisseuse.

L'année 1877 est celle des peintures de la gare Saint-Lazare et de la troisième exposition impressionniste. Avec la gare Saint-Lazare, Monet s'attaque à un nouveau lieu en prise directe avec la vie moderne, symbole de l'agitation urbaine, de l'industrialisation des villes et de la nouvelle architecture de fer et de verre. Zola est toujours au soutien : « M. Claude Monet est la personnalité la plus accentuée du groupe. Il a exposé cette année des intérieurs de gare superbes. On y entend le grondement des trains qui s'engouffrent, on y voit des débordements de fumée qui roulent sous les vastes hangars. Là est aujourd'hui la peinture, dans ces cadres modernes d'une si belle largeur. Nos artistes doivent trouver la poésie des gares, comme leurs pères ont trouvé celle des forêts et des fleuves[43]. » Théodore Duret brosse ainsi le portrait de Monet : « L'Impressionniste s'assied sur le bord d'une rivière, selon l'état du ciel, l'angle de vision, l'heure du jour, le calme ou l'agitation de l'atmosphère, l'eau prend tous les tons, il peint sans hésitation sur sa toile de l'eau qui a tous les tons. Le ciel est découvert, le soleil brillant, il peint de l'eau scintillante, argentée, azurée ; il fait du vent, il peint les reflets que laisse voir le clapotis ; le soleil se couche et darde ses rayons dans l'eau, l'Impressionniste, pour fixer ces effets, plaque sur sa toile du jaune et du rouge[44]. » L'impressionnisme prend le visage de son chef de file. Le mouvement se pose, se compose et s'impose.

Pour autant, les problèmes d'argent ne sont pas terminés. Monet est obligé de quitter sa maison d'Argenteuil en laissant en gage la toile du *Déjeu-*

ner sur l'herbe ! Roulée et mise au fond d'une cave par le propriétaire. Monet est démoralisé : « Il ne me restera plus qu'une chose à faire : accepter un emploi quel qu'il soit[45]. » Après Argenteuil, il habite quelques mois à Paris. Le 30 mars 1878, Camille accouche d'un second fils, Michel : « Ma femme vient d'accoucher d'un second enfant et je me trouve sans le sou et dans l'impossibilité de subvenir aux soins indispensables à donner à la mère et à l'enfant[46]. » Les proches sont à nouveau sollicités. Manet est d'une rare élégance en aidant significativement Monet sans rien demander en contrepartie. Monet continue à peindre à Paris, notamment lors de la première fête nationale du 30 juin 1878, rue Saint-Denis, rue Montorgueil. Les drapeaux tricolores emplissent la toile comme des bouquets de fleurs. Monet inscrit même sur l'un des drapeaux : « Vive la République ». À défaut de s'engager, il marque sa préférence sans ambiguïté.

En août de la même année, il s'installe à Vétheuil, sur la rive droite de la Seine. Il loue une maison avec les Hoschedé. La faillite d'Ernest Hoschedé a été confirmée au printemps 1878. Ils s'entraident sur fond de sentiments naissants entre Claude Monet et Alice Hoschedé. Au même moment, la santé de Camille devient préoccupante depuis la naissance de leur second enfant, Michel. Elle est d'une extrême fragilité. Malgré tout, Monet continue de travailler et d'essayer de vendre ses toiles. Avec un réel découragement : « Je commence à ne plus être un débutant et il est triste d'être à mon âge dans une telle situation, toujours obligé de solliciter une affaire. Je revis doublement mon infortune en ce moment de l'année, et 79 va commencer comme cette année a fini, bien tristement pour les miens surtout auxquels je ne puis faire le plus modeste présent[47]. » Cet éloignement l'isole du groupe, même s'il finit par participer à la quatrième exposition des impressionnistes en 1879 : « Ce n'est qu'à contrecœur et pour ne pas passer pour un lâcheur[48]. »

En réalité, Monet songe à partir de Vétheuil : « Moi seul peux savoir mes inquiétudes et le mal que je me donne pour finir mes toiles qui ne me satisfont pas moi-même et qui plaisent à si peu de monde. [...] Je suis absolument découragé, ne voyant, n'espérant aucun avenir. [...] Il me faut bien me rendre à l'évidence, je ne puis espérer gagner avec mes peintures de quoi suffire à la vie que nous menons à Vétheuil. [...] Nous ne devons pas être pour Mme Hoschedé et vous une société bien agréable, moi toujours de plus en plus aigri, ma femme presque toujours malade. [...] Notre départ serait un soulagement pour tout le monde dans la maison [...] bien que j'aie pu croire faire des rêves de travail et de bonheur[49]. » Conséquence de ce désespoir : les tableaux de Monet ne reflètent plus son génie. Ses plus fidèles soutiens lui disent, comme Georges de Bellio : « Avec toute la franchise que vous me connaissez [...] il est impossible de songer à faire de l'argent avec ces toiles si peu avancées. Vous êtes, cher ami, enterré dans un cercle terrible dont je ne sais comment vous en sortirez[50]. » L'avertissement est sévère.

Pour le moment, Monet est avant tout soucieux de la santé de Camille. Depuis la mi-mai 1879, son état empire. Elle ne s'en relèvera pas. Un cancer. Le 5 septembre, Camille meurt. Monet ne résiste pas à faire le portrait de sa femme sur son lit de mort ; se reprochant par la suite d'avoir observé les différences de tons et de lumière sur le visage de sa femme en train de mourir. À Pissarro il écrit : « Vous devez, en effet, mieux que tout autre savoir le chagrin que je puis avoir. Je suis accablé, ne sachant comment me retourner, ni comment je vais pouvoir organiser ma vie avec mes deux enfants. Je suis bien à plaindre[51]. »

L'hiver 1879-1880 est celui des grands froids. La Seine même est gelée. Fin décembre 1879, les ennuis financiers sont toujours aussi préoccupants. Il ne reste que 5 francs pour se chauffer, se nourrir, se vêtir. Et ils sont dix : Alice Hoschedé et ses six enfants, et Monet et ses deux fils. Monet part pour Paris vendre ses tableaux de neige. Quelques jours après son retour, une « débâcle terrible » a lieu à Vétheuil. Avec le temps qui s'est radouci, la fonte des neiges provoque dans la nuit du 4 janvier le débordement de la Seine et l'inondation des rives par des montages de glaces, dont celles de Vétheuil. Monet en profite pour peindre toute cette désolation. Une douzaine de toiles. La Seine que Monet ne cesse de prendre pour modèle : « La Seine ! Je l'ai peinte pendant toute ma vie, à toute heure, en toute saison, depuis Paris jusqu'à la mer... Argenteuil, Poissy, Rueil, Vétheuil, Giverny, Rouen, Le Havre... Manet en riait et répétait : "Dites donc à Monet d'en laisser pour les autres !..." Je n'en ai jamais été las : elle est pour moi toujours nouvelle... J'y ai passé des étés torrides, les yeux brûlés par les reflets. Des hivers aussi, où il ne faisait pas bon[52]...»

En 1880, Monet, en raison de sa situation financière, décide d'affronter à nouveau le Salon ; l'année précédente, Renoir y a été admis : « C'est une grosse partie que je vais jouer, sans compter que me voilà du coup traité de lâcheur par toute la bande, mais je crois qu'il était de mon intérêt de prendre ce parti étant à peu près sûr de faire certaines affaires, notamment avec Petit, une fois que j'aurai forcé la porte du Salon ; mais ce n'est pas par goût que je fais cela, et il est bien malheureux que la presse et le public aient pris si peu au sérieux nos petites expositions bien préférables à ce bazar officiel[53]. » Pour le Salon de 1880, seule une toile de Monet est admise. La conséquence directe de sa participation au Salon est la rupture avec le groupe des impressionnistes. L'ami Zola le traite même de renégat : « Voilà un peintre de l'originalité la plus vive qui, depuis dix ans, s'agite dans le vide, parce qu'il s'est jeté dans des sentiers de traverse [...]. Il avait exposé au Salon de premières toiles fort remarquées ; puis, le jury s'avisa de le refuser, et le peintre irrité qu'il ferait bande à part [...]. Ce fut une faute de conduite [...]. Cette année, il est revenu au Salon [...]. Donc, M. Claude Monet, que l'on regarde avec raison comme le chef des impressionnistes, n'est plus aujourd'hui qu'un renégat comme Renoir [...]. S'il veut reconquérir la haute place qu'il mérite [...] il lui faut résolument se donner à des toiles importantes, étudiées pendant des saisons [...] qu'il fasse avec entêtement de la grande et belle peinture, et avant dix ans, il sera reçu, placé sur la cimaise, récompensé, il vendra ses tableaux très cher et marchera à la tête du mouvement actuel[54]. » Monet ne participe pas à la nouvelle exposition des impressionnistes. L'éclatement du groupe est confirmé. Sisley, Renoir et Cézanne sont déjà partis. Cette défection lui vaut un article calomnieux et diffamatoire le déclarant mort pour la peinture et vivant retiré avec une « charmante jeune femme ». L'article est anonyme. À peine un rectificatif est-il accordé à Monet. Il n'en a cure. Il a raison.

En juin de la même année, une exposition est entièrement consacrée à Claude Monet. Elle se tient à la galerie de La Vie moderne, qui appartient aux Charpentier, les mécènes de Renoir. Dix-huit œuvres sont présentées. Théodore Duret établit un catalogue. Et de décrire « Claude Monet le pinceau à la main. Pour cela il faut courir avec lui les champs, braver le hâle, le plein de soleil, ou rester les pieds dans la neige, puisque, sorti du logis, il travaille en toute saison directement sous la voûte du ciel. Sur son chevalet il pose une toile blanche, et il commence brusquement à la couvrir de plaques de couleur qui correspondent aux taches colorées que lui donne la scène naturelle entrevue. Souvent, pendant la première séance, il n'a pu obtenir qu'une ébauche. Le lendemain, revenu sur les lieux, il ajoute la première esquisse, et les détails s'accentuent, les contours se précisent. Il procède ainsi plus ou moins longtemps jusqu'à ce que le tableau le satisfasse. [...] Son pinceau a fixé ces mille impressions passagères que la mobilité du ciel et les changements de l'atmosphère communiquent à l'œil du spectateur[55] ». Petit succès. Grâce aux ventes, Monet rembourse ses créanciers. Le moral revient pour un temps : « Je travaille beaucoup et suis dans une bonne veine de travail. » Et puis, à la fin de l'année, le voilà de nouveau confronté aux problèmes financiers. Quelle galère que cette vie d'artiste : « Les affaires sont rares, et, en ce moment, je tremble un peu, car voici la fin de l'année et personne n'a d'argent à cette époque jusqu'à fin janvier ; j'ai peur de ne rien faire[56]. »

Heureuse année 1881. Le soutien et les achats continus de Paul Durand-Ruel permettent à Claude Monet d'être plus à l'aise pécuniairement. Cette sérénité financière lui donne la possibilité de renoncer définitivement au Salon et de s'abstenir de participer à la sixième exposition des artistes indépendants. Monet passe également l'année à jouer à cache-cache avec Ernest Hoschedé. Quand Monet est à Vétheuil, Ernest Hoschedé est à Paris. Et quand ce dernier se trouve à Vétheuil, Monet est à Paris, à Trouville, à Sainte-Adresse ou à Fécamp. Cette situation ne peut durer. Finalement, en décembre 1881, Monet déménage à nouveau. Il s'installe à Poissy avec Alice Hoschedé et les enfants, près de la Seine.

Entre Argenteuil et Giverny, Vétheuil, entre 1878 et 1882, a été pour Monet un important moment de transition dans sa vie. Souvent accablé par ses dettes et par ses besoins d'argent, il a cependant acquis pendant cette période une réelle maturité esthétique. Il a connu des découragements, il a parfois succombé à la facilité. Mais il est sûr aussi de son talent et de sa peinture. Il sait pouvoir être libre sans se soucier de la critique. Par ailleurs, il est indépendant. Tant à l'égard du Salon que de l'ancien groupe des impressionnistes. Enfin, il est désormais soutenu par des marchands, comme Paul Durand-Ruel. Autre détail qui a son importance, il vit désormais avec Alice, qui deviendra sa seconde épouse. Bref, Monet peut enfin faire du Monet librement.

Pour le moment, il est à Poissy avec Alice et les enfants. Bien que Paul Durand-Ruel ait été directement atteint par le krach puis la faillite de la banque de l'Union générale en février 1882, qui lui accordait des facilités de trésorerie, Monet n'en réitère pas moins ses demandes d'argent. Il part pour Dieppe dans l'intention de peindre. Mauvaise pioche ; le lieu ne l'inspire pas. De son côté, Paul Durand-Ruel veut monter la septième exposition des artistes indépendants afin de redresser ses affaires. Il doit convaincre les uns, ménager les susceptibilités des autres. Durand-Ruel réussit malgré tout à réunir Guillaumin, Berthe Morisot, Pissarro, Renoir, Sisley, Caillebotte et Gauguin. Et Monet, qui a fini par accepter, avec trente-cinq toiles.

Les mois se suivent. Entre découragement, dettes et peinture. Monet part peindre à rville, à Dieppe. Mais il reste insatisfait. À la fin de l'été 1882, son moral est au plus bas : « Je vois l'avenir trop noir. Le doute s'empare de moi, il me semble que je suis perdu, que je ne pourrai plus rien faire[57]. » Il ne cesse de harceler Durand-Ruel pour toutes ses dettes. Ce dernier se montre plus que conciliant : il encourage sans cesse Monet. Il lui envoie de l'argent. Il l'expose à Londres et à Berlin. Il acquiert une vingtaine d'œuvres de Monet exécutées en Normandie. Il lui fait réaliser des panneaux dans le grand salon de son appartement de la rue de Rome, à Paris, que Monet achève en 1885.

En 1883, Durand-Ruel choisit d'organiser désormais non plus des expositions de groupe, mais des expositions consacrées à un seul peintre pour éviter de lasser le public. Boudin en février, Monet en mars, Renoir en avril, Pissarro en mai et Sisley en juin. Ces expositions prennent place dans ses nouveaux locaux de la Madeleine. Pour Monet, cinquante-six œuvres sont exposées. Mais l'accueil du public et de la presse est décevant. Monet en impute la responsabilité à Paul Durand-Ruel, qui aurait mal organisé l'événement. Ingratitude, ou traditionnelles relations conflictuelles entre un artiste et son marchand...

En réalité, Monet est malheureux à Poissy. Il ne trouve pas l'inspiration : « Cette horrible Poissy de malheur » ! Avec l'expérience de Poissy, il prend conscience que son environnement direct est essentiel à sa peinture. Il recherche alors un lieu propice à son épanouissement et à celui de sa peinture. Il souhaite se poser et aspire à une vraie stabilité. En 1882, il a abandonné son atelier parisien de la rue de Vintimille. Il ne souhaite venir que rarement dans la capitale : « Une fois installé, ne venir à Paris qu'une fois par mois à date fixe. » Monet déménage de nouveau aux frais de Durand-Ruel : « Tout cela va faire bien de l'argent que je vous devrai, mais une fois installé, j'espère faire des chefs-d'œuvre, car le pays me plaît beaucoup. » Ce pays, c'est Giverny. Nous sommes au début de l'année 1883. La maison comporte huit pièces sur deux étages, avec deux mansardes et une cave. Une grange que Monet transformera en atelier et une autre petite maison avec plusieurs pièces, dont une cuisine et une écurie. Pendant près de dix ans, Monet loue cette maison. Il découvre Giverny et s'y épanouit. En 1890, il s'attachera défi-nitivement à Giverny en acquérant cette maison.

Avec le déménagement à Giverny, se dénoue éga-lement la situation équivoque d'Alice Hoschedé. Personne n'est dupe, malgré les apparences et les arrangements, de la relation qui unit Claude Monet et Alice Hoschedé. Alice et Ernest Hoschedé se doivent maintenant une explication ; la situation dure depuis quelques années et elle commence à faire jaser. Depuis Étretat, où il est pour peindre (« Vous ne pouvez vous faire une idée de la beauté de la mer. […] Quant aux falaises, elles sont ici comme nulle part[58] »), Monet écrit à la très catholique Alice, qui avait réussi à faire accepter au très athée Monet le baptême de son dernier fils. Il tente de la rassurer : « Je vois bien que vous êtes toujours dans les mêmes inquiétudes que je partage bien et, pendant mes nuits sans sommeil, car je ne dors plus, je songe à tout cela, et, comme vous, chère amie, il me semble impossible d'être séparés. […] Mais qui sait ? De cette entrevue, si elle a lieu, sortira une meilleure solution : car comment peut-il songer à vous installer avec lui dans la situation qu'il s'est faite. Ne désespérez donc pas[59]. » Le 19 février 1883, Alice rencontre son mari, Ernest, pour une explication de gravures. Un télégramme part pour Étretat. Monet est affligé : « J'ai reçu vos quatre lignes qui en disent certes plus que quatre pages détaillées. Je les ai bien lues et relues vingt fois chaque : je fonds en pleurs ; est-ce donc possible, faut-il me faire à cette idée de vivre sans vous[60] ? » Il écrit quelques jours plus tard : « Quand je ne songe qu'à vous et moi, je trouve impossible de vivre l'un sans l'autre. Bref, il faut avant tout que je sache ce que vous avez dit et décidé, puis je déciderai de mon chef ; la vérité est que je souffre bien, que je veux vivre de toutes mes forces et que l'idée d'une séparation me rend fou[61]. » Les affres de Monet ne durent pas. Le 29 avril, c'est avec Alice qu'il emménage à Giverny.

Mais ce déménagement et les retrouvailles définitives avec Alice sont troublés par la mort d'Édouard Manet : « J'apprends la terrible nouvelle de la mort de notre pauvre Manet[62]. » Monet est bouleversé. Le 30 avril 1883, Manet est mort des suites d'une gangrène de sa jambe gauche qu'il a fallu amputer. Le 3 mai, Monet est à l'enterrement. Avec Antonin Proust, Zola, Duret, Burty et Stevens, Monet a été choisi pour accompagner le cercueil. Nombreux sont ceux qui assistent à la cérémonie. Clemenceau, dont Manet avait fait le portrait ; mais aussi la bande des « impressionnistes », de Renoir à Sisley en passant par Degas, Berthe Morisot, sa belle-sœur. Zola redit quelques mois plus tard la force du génie de Manet : « Il a été un des instigateurs les plus énergiques de la peinture claire, étudiée sur nature, prise dans le plein jour du milieu contemporain, qui peu à peu a tiré nos Salons de leur noire cuisine au bitume, et les a égayés d'un coup de vrai soleil. [...] le flot des scènes modernes, prises à la vie de tous les jours, montait, envahissait les murs, qu'il ensoleillait de ses notes vives. Ce n'était pas seulement un monde nouveau, c'était une peinture nouvelle, la tendance vers le plein air, la loi des valeurs respectées, chaque figure peinte dans la lumière[63]. » Après la disparition de Manet, tout le monde le pressent, Monet est désormais en première ligne.

Comme souvent lorsqu'il s'affronte à un nouveau paysage, il n'arrive pas à trouver son inspiration à Giverny : « Je travaille mais pas comme je voudrais, et cela me rend toujours de méchante humeur après moi. Le pays est superbe et jusqu'à présent je n'ai pas su en tirer parti. J'ai du reste été si longtemps sans peindre que forcément il me faut gâter quelques toiles avant d'en réussir, et puis il faut toujours un certain temps pour se familiariser avec un pays nouveau[64]. » Il reste insatisfait ; même si, grâce à Paul Durand-Ruel, les problèmes d'argent semblent moins préoccupants.

Son insatisfaction le décide à partir en décembre 1883 pour Gênes avec Auguste Renoir, qui est le seul à le tutoyer et qu'il tutoie de son côté. Sur le chemin, ils rendent visite à Cézanne à Aix-en-Provence. À son retour, Monet décide de repartir pour Bordighera, sur la côte méditerranéenne près de Gênes, pour y peindre. Mais seul, en secret de Renoir : « Je vous demande de ne parler de ce voyage à personne [...] parce que je tiens à le faire seul. [...] J'ai toujours mieux travaillé dans la solitude et d'après mes seules impressions[65] », écrit-il à Durand-Ruel. Le séjour, initialement prévu pour un mois, durera trois mois. Monet, à travers ses lettres à Alice et à Paul Durand-Ruel, fait partager les méandres de sa création artistique. L'appréhension : « Les débuts sont toujours médiocres, mais certainement je pourrai rapporter des choses intéressantes, car c'est de toute beauté et superbe[66]. » Le travail : « Je travaille comme un forcené à six toiles par jour. Je me donne terriblement de mal, car je n'arrive pas encore à saisir le ton de ce pays ; par moments, je suis épouvanté des tons qu'il me faut employer, j'ai peur d'être bien terrible, et cependant je suis bien en dessous ; c'est terrible de lumière[67]. » Les difficultés : « Je suis installé dans un pays féerique. Je ne sais où donner de la tête, tout est superbe, et je voudrais tout faire : aussi j'use et gâche beaucoup de couleurs car il y a des essais à faire. C'est toute une étude nouvelle pour moi que ce pays et je commence seulement à m'y reconnaître et à savoir où je vais, ce que je peux faire. C'est terriblement difficile, il faudrait une palette de diamants et de pierreries. Quant au bleu et au rose, il y en a ici. Enfin, je pioche, je rapporterai des palmiers, des oliviers (c'est admirable, les oliviers) et de là mes bleus[68]. » L'émerveillement : « Maintenant je sens bien le pays, j'ose mettre tous les tons de rose et bleu ! C'est de la féerie[69]... » Les angoisses : « Je ne me donne pas une minute de répit, tant j'ai peur de revenir bredouille, ou enfin, de ne pas rapporter grand-chose[70]. » L'enthousiasme : « Le soleil est revenu, superbe, mais avec un vent terrible, épouvantable, une tempête avec du soleil, la mer est inimaginable. Figurez-vous la mer agitée de Pourville, mais d'un bleu merveilleux et l'écume est comme de l'argent. J'ai voulu en essayer, mais parasol, toiles, tout a été emporté et le chevalet cassé ; il m'a fallu battre en retraite, furieux. J'ai donc pris un grand parti, me rappelant qu'à Dolce Acqua où je suis allé dimanche on ne sentait pas le vent, abrité par les montagnes, j'ai pris une voiture et j'y ai très bien travaillé deux motifs merveilleux[71]. » La satisfaction : « J'ai fait bien des croûtes au début, mais maintenant je le tiens ce pays féerique et c'est justement ce côté merveilleux que je tiens à rendre. Évidemment bien des gens crieront à l'invraisemblance, à la folie, mais tant pis ; ils le disent bien quand je peins dans notre climat. Il fallait en venant que j'en rapporte le côté saisissant[72]. » Le soulagement : « J'ai huit toiles terminées, c'est quelque chose, mais que d'efforts, de fatigue même ! Je suis assommé de tant travailler, je me sens comme à bout de forces : aujourd'hui j'ai travaillé à sept études, je crois n'avoir jamais fait cela, mais aussi j'en suis comme abruti[73] [...]. » L'effort : « Faire ce métier-là pendant un mois, c'est possible, mais plus de deux mois, c'est tuant et je n'en puis plus, et cependant ça marche[74]. » La folie : « Je ne sais comment je fais pour faire ce métier, aller d'un motif à un autre, me creusant la tête pour mettre le plus que je peux de cette lumière dans mes toiles, c'est le travail d'un fou ; j'en suis abruti[75]. » Et enfin de terminer par un aveu : « Je vois que vous vous attendez à des merveilles ; vous serez peut-être désillusionnée, car bien que j'aie travaillé énormément, je ne suis pas content. Vous direz que c'est mon habitude et que je me plains toujours, mais certainement le résultat n'est pas en rapport avec le mal que je me suis donné. Ça a été une étude pour moi et c'est à présent seulement que je commence à comprendre[76]. » Résultat de ce voyage : quatre caisses pleines d'une cinquantaine de tableaux. Elles arrivent à Giverny non sans quelques difficultés. Les douanes italiennes étant tatillonnes, Monet a franchi clandestinement la frontière de nuit pour éviter de longues tracasseries administratives à Gênes, qui duraient déjà depuis trois jours.

Monet retrouve Giverny et ses sempiternels problèmes d'argent. Il écrit de nouveau à Durand-Ruel pour le solliciter. Mais ce dernier rencontre de sérieuses difficultés. Ses créanciers se sont regroupés en syndicat et la faillite menace. Même si Durand-Ruel finit par trouver des arrangements, il doit désormais limiter ses achats ; ce qui bien sûr inquiète Monet, même s'il lui est reconnaissant de ses efforts et de son soutien : « Parce que je me rends compte du chemin parcouru et de la situation à laquelle je suis arrivé grâce à vous

[...] je m'épouvante et me désole à la pensée de recommencer cette chasse à l'amateur. » Monet s'oublie rarement dans ses complaintes. Avec Pissarro et Renoir, ils se tiennent mutuellement au courant de la situation de Durand-Ruel, leur principal acheteur.

En novembre 1884, Monet propose au « groupe des impressionnistes » de prolonger les anciennes discussions en se réunissant régulièrement, une fois par mois, au café Riche pour dîner. À Pissarro : « J'ai écrit à Renoir pour que nous nous entendions pour dîner tous ensemble chaque mois, histoire de nous réunir et de causer, car c'est bête de s'isoler. Pour ma part, je deviens moule et je ne m'en fais que plus de mauvais sang[77]. » Caillebotte, Berthe Morisot sont aussi sollicités.

Bonne nouvelle pour Monet. Un article d'Octave Mirbeau est publié dans *La France*, journal conservateur, le 15 novembre. L'article est dithyrambique : « Je ne connais pas, parmi les paysagistes modernes, un peintre plus complet, plus vibrant, plus divers d'impression que Claude Monet ; on dirait que pas un frisson de la nature ne lui est inconnu. [...] Monet a fait sortir de sa palette tous les incendies et toutes les décompositions de la lumière, tous les jeux de l'ombre, toutes les magies de la lune et tous les évanouissements de la brume. [...] Tout ce qu'il a touché, il y a mis la vie et la sensibilité — la vie, la sensibilité propres à l'objet —, et c'est le plus bel éloge que l'on puisse adresser à un artiste. [...] Il n'y a que Corot, l'immense et sublime Corot, à côté de qui on puisse le placer. Et encore je trouve chez Monet une sensibilité de l'œil plus délicate et en quelque sorte plus affectable, une compréhension plus puissante et plus vaste. Corot et Monet, ce sont les deux plus belles, les deux plus éloquentes expressions de l'art du paysage. Et la postérité, pour qui rien ne se perd, qui sait mettre chacun à sa place, accouplera ces deux noms dans la même gloire définitive[78]. » Cet article est le début d'une grande et sincère amitié entre Mirbeau et Monet. En 1886, Monet sera des dîners mensuels des Bons Cosaques qu'organise Octave Mirbeau avec Henry Becque, Auguste Rodin, Félicien Rops, Paul Hervieu, Jean-François Raffaelli, Stéphane Mallarmé et Guy de Maupassant ; élargissant ainsi le cercle de ses relations parmi les artistes et intellectuels parisiens.

*

Le 18 octobre 1885, Clemenceau est réélu député à Paris et dans le Var. Il choisit ce dernier département. Avec la dépression économique, le régime républicain est en butte aux attentes des Français et à un antiparlementarisme latent. L'armée reste encore un foyer important de monarchistes. Son adhésion à la République est encore timide. Clemenceau pousse alors un de ses anciens camarades de lycée à Nantes, le général Boulanger. Grâce à Clemenceau, il est nommé ministre de la Guerre. Chargé de réformer l'armée pour la « républicaniser », il améliore la vie des militaires. Son hostilité marquée et revendiquée à l'encontre de l'Allemagne lui vaut le surnom de « général revanche ». Il devient rapidement populaire. Très populaire. Trop populaire. Les parlementaires s'inquiètent.

Après la chute du ministère Freycinet en mai 1887, Boulanger ne fait pas partie du nouveau gouvernement. Déception de Boulanger, mais sa popularité enfle encore. Les nationalistes, les bonapartistes, les monarchistes le soutiennent de plus en plus. Mis à la retraite en 1888, Boulanger se lance en politique. Le boulangisme a trois mots d'ordre : dissolution, révision, nouvelle constitution. Aux différentes élections où il se présente, il ne cesse d'être élu. Son charisme le rend dangereux pour la République.

Clemenceau met du temps à réagir et à rompre avec Boulanger. Quand ce dernier attaque le régime parlementaire, il intervient vivement à la tribune de la Chambre : « Ces discussions qui vous étonnent, c'est notre honneur à tous. Elles prouvent surtout notre ardeur à défendre les idées que nous croyons justes et fécondes. Ces discussions ont leurs inconvénients, le silence en a davantage. [...] Gloire aux pays où l'on parle, honte aux pays où l'on se tait[79] ! » Boulanger n'a pas le caractère de ses ambitions. Il déçoit ses partisans. Il refuse de sortir de la légalité et de marcher sur l'Élysée. Il fuit à Bruxelles, à la suite d'une accusation de complot contre l'État par le ministre de l'Intérieur. En août 1889, il est condamné par contumace à la déportation par la Haute Cour. Ses partisans perdent les élections. Les républicains ont changé opportunément le mode de scrutin. C'en est terminé des candidatures multiples. Le 30 septembre 1891, Boulanger se suicide sur la tombe de sa maîtresse, disparue quelques semaines plus tôt. Clemenceau rédige son épitaphe : « Ci-gît Boulanger, qui mourut comme il avait vécu : en sous-lieutenant[80]. »

À force de faire tomber les ministères, Clemenceau s'attire inévitablement des haines et des rancœurs. En 1892, éclate le scandale de Panama.

Clemenceau s'est imprudemment lié à Cornelius Herz, dont il dira à la fin de sa vie qu'« [il] était une fripouille finie, malheureusement, ce n'était pas écrit sur le bout de son nez ». Cornelius Herz est un homme d'affaires de renom, grand officier de la Légion d'honneur et particulièrement bien introduit dans le milieu politique. Il devient un des actionnaires de *La Justice*, le journal de Clemenceau, alors en grande difficulté financière. Mais Clemenceau ne sait pas que Cornelius Herz a acheté des parlementaires pour le compte de la Compagnie du canal afin qu'ils votent une loi autorisant un emprunt. En 1888, la Compagnie a fait faillite. 85 000 souscripteurs ont perdu tous leurs investissements. Le scandale est grand et la magouille découverte. Les députés corrompus, les « chéquards », sont recherchés. Cornelius Herz s'enfuit en Angleterre. Il rend publique une liste de cent quarante députés corrompus. Clemenceau n'y figure pas.

Au même moment, le banquier Jacques de Reinach est retrouvé mort à son domicile. Il est une des relations de Clemenceau. La charge peut enfin être menée contre Clemenceau. C'est la curée. Le député nationaliste et boulangiste Paul Déroulède l'attaque. Parlant de Cornelius, il déclare : « Il lui [avait] fallu le plus complaisant et le plus dévoué des amis pour qu'il pût frayer d'égal à égal, de pair à compagnon, tantôt avec les ministres, tantôt avec les directeurs de journaux. » Déroulède n'hésite pas à se montrer téméraire : « Il est trois choses en lui que vous redoutez : son épée, son pistolet, sa langue. Eh bien, moi, je brave les trois, et je le nomme : c'est M. Clemenceau ! » Et Déroulède d'accumuler les insinuations, amalgames et rumeurs contre

Clemenceau. Les applaudissements sont nourris. Tous ceux qui avaient subi les foudres de Clemenceau sont trop heureux de se lâcher enfin. Clemenceau répond. Il essaie de vider la boue des calomnies. Au duel oratoire, suit un duel au pistolet.

Clemenceau ne parvient pas à se relever de ce torrent de boue. Pour les élections de 1893, il est candidat dans le Var. Il y affronte la haine. Le 8 août 1893, à Salernes, devant mille cinq cents électeurs, il prononce un grand discours : « Attaqué de tous les côtés à la fois, insulté, vilipendé, lâché, renié ; sous les accusations les plus infamantes, je n'ai pas faibli ; et me voici debout, devant vous pour qui j'ai subi ces outrages, prêt à vous rendre des comptes. [...] Après une longue épreuve, je me présente devant vous. C'est le sort des hommes politiques — je parle des hommes de combat — d'être exposés à toutes les surprises, à tous les attentats. Autrefois, on les assassinait ; c'était l'âge d'or. Aujourd'hui, contre eux, l'entreprise réputée infâme paraît légitime ; contre eux, le mensonge est vrai ; la calomnie, louange ; la trahison, loyauté... Dans une démocratie où tous les appétits, tous les intérêts, toutes les passions sont publiquement aux prises, quoi de plus tentant que de profiter sans scrupules de tous les incidents pour chercher à troubler l'opinion par des attaques personnelles des plus violentes. » Il se défend : « Où sont les millions ? » La campagne se déroule dans un climat de violence inouïe. Les attaques les plus insultantes et les plus basses sont lancées contre Clemenceau : « Vous sentez le cadavre » est même l'objet d'une affiche. Le 3 septembre, il est battu. Mais pas abattu, comme le constate son ami Mirbeau : « J'eus la joie de n'apercevoir sur son énergique visage et dans son regard résolu pas une ombre de dégoût, pas un signe d'abattement. Rien ne s'était altéré de sa bonne humeur si entraînante, de sa gaîté saine ; rien n'avait faibli de ses ardents et robustes enthousiasmes qui, toujours, aux heures lourdes, le préservèrent des mauvaises suggestions du dégoût[81]. »

*

Au début de l'année 1885, Monet se tourne vers un nouveau marchand d'art, Georges Petit. Au début de mai, il organise une exposition à Paris présentant une dizaine d'œuvres de Monet. Paul Durand-Ruel est ennuyé par cette concurrence. Monet essaie de le convaincre des avantages qu'il peut en attendre : « C'est surtout dans notre intérêt à tous que j'étais heureux de mon entrée dans ce milieu, ce qui ne peut amener que d'heureux résultats pour l'avenir[82]. » Par contre, Monet est réticent aux initiatives de Paul Durand-Ruel aux États-Unis : « J'avoue que certaines de ces toiles je les verrais à regret partir au pays des Yankees et j'en voudrais réserver un choix pour Paris car c'est surtout et là seulement qu'il y a encore un peu de goût[83]. » Monet se trompe. C'est en grande partie grâce à ces fameux « Yankees » que la peinture impressionniste trouvera sa reconnaissance ; Paris gardant un goût trop classique, peu avant-gardiste.

À la fin de l'été, Monet se rend à Étretat dans la maison d'un autre acheteur, le baryton Faure. Monet rassure néanmoins Durand-Ruel. À Étretat, il court les falaises pour peindre. Et Maupassant de décrire la scène : « J'ai souvent suivi Claude Monet à la poursuite d'impressions. Ce n'était plus un peintre, en vérité, mais un chasseur. Il allait, suivi d'enfants qui portaient ses toiles, cinq ou six toiles représentant le même sujet à des heures diverses et avec des reflets différents. Il les prenait et les quittait tour à tour, suivant tous les changements du ciel. Et le peintre, en face du sujet, attendait, guettait le soleil et les ombres, cueillait en quelques coups de pinceau le rayon qui tombe ou le nuage qui passe, et, dédaigneux du faux et du convenu, les posait sur sa toile avec rapidité. Je l'ai vu saisir ainsi une tombée étincelante de lumière sur la falaise blanche et la fixer avec une coulée de tons jaunes qui rendaient étrangement le surprenant et fugitif effet de cet insaisissable et aveuglant éblouissement. Une autre fois, il prit à pleines mains une averse abattue sur la mer et la jeta sur la toile. Et c'était bien de la pluie qu'il avait peinte ainsi, rien que la pluie voilant les vagues, les roches et le ciel, à peine distinct sous ce déluge[84]. »

Début 1886, Durand-Ruel prépare une exposition à New York, ce qui ne laisse pas d'exaspérer Monet : « Je veux bien croire à vos espérances en Amérique, mais je voudrais bien et surtout faire connaître et vendre mes tableaux ici[85]. » Une quarantaine de tableaux sont réunis à New York pour une exposition, « Œuvres à l'huile et au pastel des impressionnistes de Paris ». L'exposition connaît un réel succès ; mais Monet n'y goûte guère et continue d'écrire des lettres de reproches à Durand-Ruel, parti trop longtemps sans donner de nouvelles ni d'argent. Monet entretient désormais la concurrence avec le marchand Georges Petit, qui organise la Ve exposition internationale de peinture et de sculpture, à la grande satisfaction de Monet : « Tout ce qui a été exposé a été vendu cher et à des gens biens. Quant à avoir la prétention de faire l'éducation du public, il y a longtemps que je n'y crois plus, ce serait être trop gourmand de ne vouloir vendre qu'à de vrais connaisseurs, et à ce jeu-là on risquerait de mourir de faim[86]. » Boudin confirme la force esthétique de Monet : « Ce bougre-là est devenu si osé dans ses tons qu'on ne peut plus rien regarder après lui. Il enfonce et vieillit tout ce qui l'entoure. Jamais on n'a été plus vibrant ni plus intense ; si ce n'est la facture qui est effrayante pour le bourgeois, on se l'arracherait[87]. » Paul Durand-Ruel finit par céder. Il continue de financer Monet et de répondre à ses demandes incessantes et nombreuses.

Du 15 mai au 15 juin 1886, se tient la huitième exposition impressionniste. C'est la dernière et celle de la rupture définitive. Monet n'y participe pas. Pissarro impose à cette exposition la présence de Georges Seurat, de Paul Signac et de Paul Gauguin, considérés comme des « néo-impressionnistes » avec Signac. Cette nouvelle génération sonne le glas des impressionnistes. Ou en tout cas présentés comme tels. En les débordant sur leur terrain de prédilection, celui de la représentation de la lumière, que Seurat et les autres abordent d'une manière « scientifique » par une multitude de points de peinture accumulés et juxtaposés. Pissarro a des mots peu aimables sur ses anciens condisciples, traitant de « rance » le coup de brosse de Monet. Désormais, chacun dans le groupe historique des impressionnistes va suivre une voie personnelle. Ils ne seront plus réunis.

Au même moment, une autre rupture est provoquée par Émile Zola. Il publie *L'œuvre*, histoire de Claude Lantier, un peintre en quête d'absolu cherchant avec d'autres à imposer un art nouveau, mais qui finit par se suicider sur fond de luttes, de jalousies et de divergences. La rupture est consommée avec les impressionnistes. Seul Monet fait part à Zola de son mécontentement : « Je viens de le lire et je reste troublé, inquiet, je vous l'avoue. Vous avez pris soin, avec intention, que pas un seul de vos personnages ne ressemble à l'un de nous, mais malgré cela j'ai peur que dans la presse et le public nos ennemis ne prononcent les noms de Manet ou tout au moins les nôtres pour en faire des ratés, ce qui n'est pas dans votre esprit […]. Vous savez du reste mon admiration fanatique pour votre talent. Non, mais je lutte depuis un assez long temps et j'ai les craintes qu'au moment d'arriver les ennemis ne se servent de votre livre pour nous assommer[88]. » Mais le plus atteint par cette rupture est Cézanne. Ami d'enfance de Zola, il se reconnaît à juste titre sous les traits de Claude Lantier. Déjà déconcerté par le train de vie très bourgeois de Zola dans sa maison de Médan, Cézanne se sent trahi par son vieil ami. Zola était de leurs conversations, de leurs interrogations, de leurs combats. Il les avait soutenus et voilà qu'il les lâche de manière publique. Cézanne lui écrit une lettre glaciale pour le remercier de son envoi. La rupture est totale. Ils ne se reverront plus. Pissarro, Renoir et Monet évitent dorénavant Zola. L'affaire Dreyfus permettra de renouer quelques liens, mais jamais avec Cézanne. 1886 est l'année des ruptures, mais aussi celle d'un nouvel élan pour chacun des impressionnistes, qui suivent désormais une voie qui leur sera très personnelle.

À l'automne, Monet se rend à Belle-Île, dans le hameau de Kervihalouen, sur la côte sauvage. Parti pour quinze jours, il y reste trois mois. Il y peint une quarantaine de toiles : « Je suis dans un pays superbe de sauvagerie, un amoncellement de rochers terribles et une mer invraisemblable de couleurs ; enfin je suis très emballé quoique ayant bien du mal, car j'étais habitué à peindre la Manche et j'avais forcément ma routine, mais l'Océan, c'est tout autre chose[89]. » Il se bat avec la mer : « Vous savez ma passion pour la mer, et celle-ci est si belle. Instruit comme je le suis et ne cessant de l'observer, je suis sûr que j'arriverais à faire des choses tout à fait bien, si je vivais ici des mois encore. Je sens que chaque jour je la comprends mieux, la gueuse, et certes ce nom lui va bien ici, car elle est terrible ; elle vous a de ces tons d'un vert glauque et des aspects absolument terribles (je me répète). Bref, j'en suis fou ; mais je sais bien que pour peindre vraiment la mer, il faut la voir tous les jours à toute heure et au même endroit pour en connaître la vie à cet endroit-là, aussi je refais les mêmes motifs jusqu'à quatre et six fois[90]. »

Pendant son séjour à Belle-Île, Monet rencontre pour la première fois Gustave Geffroy dans un petit café. Ce dernier est le critique d'art du journal *La Justice*, que dirige Georges Clemenceau. Fin connaisseur du travail de Claude Monet, sur lequel il a écrit plusieurs articles, il devient non seulement un ami intime du peintre, mais également son défenseur le plus ardent. Cette rencontre permet également à Monet de renouer les fils de l'amitié avec Clemenceau. Rencontre du hasard qui s'avère décisive.

À son retour, Monet se brouille avec Durand-Ruel. Ce dernier est vexé de n'être le destinataire que de trois toiles sur six que Monet considère comme « très bien » sur une quarantaine de toiles rapportées de Belle-Île. Il envoie un simple mandat de 1 000 francs que Monet lui renvoie avec une lettre cinglante : « Si j'eusse pensé vous causer l'ombre d'un ennui ou d'un reproche, j'aurais commencé par vous demander mon compte et me serais empressé de me mettre en règle. Bref, c'est ce que je viens demander aujourd'hui. Et à l'avenir nous ferons nos modestes affaires au comptant, ce qui vaudra mieux pour tous deux[91]. » Cette brouille est révélatrice d'une situation nouvelle. D'un côté, Durand-Ruel, à cause de ses difficultés de trésorerie, ne peut plus absorber toute la production de Monet. De l'autre, Monet, qui ne comprend toujours pas les velléités et les absences américaines de Durand-Ruel, compte maintenant plusieurs clients, ce qui lui permet d'augmenter ses prix et d'entretenir une concurrence entre les différents acheteurs.

Même si Monet, à Giverny, consacre son temps à Alice et à reprendre ses toiles inachevées de Belle-Île, il participe au printemps 1887 à l'exposition internationale à Paris du marchand Georges Petit. Pissarro, qui n'a pas été retenu au départ, est mécontent et le fait savoir en pestant contre le groupe des impressionnistes. Il en fait finalement partie grâce à Monet qui se fait grinçant dans une lettre à Berthe Morisot : « [Pissarro] ne redoute donc plus de se retrouver en si mauvaise compagnie et ses convictions ne sont pas de longues durées[92]. »

Et Monet, non seulement de recueillir des articles favorables, notamment celui de Gustave Geffroy, mais également de vendre. De vendre enfin. Et pas à un seul marchand. En effet, après Durand-Ruel et Petit, c'est le frère de Vincent Van Gogh, Théo, qui commence à lui acheter des toiles. Monet profite de ces ressources pour inviter chaque semaine Renoir, Mirbeau, Richepin, de Bellio, à Giverny.

L'année 1887 est consacrée aux toiles inachevées de Belle-Île. Monet quitte peu Giverny. Il peint, peint et peint encore : « Je travaille comme jamais et à des tentatives nouvelles, des figures en plein air comme je les comprends, faites comme des paysages. C'est un rêve ancien qui me tracasse toujours et que je voudrais bien réaliser ; mais c'est difficile ! Enfin, je me donne bien du mal, cela m'absorbe au point d'en être presque malade[93]. » À Giverny, il est également de plus en plus préoccupé de son jardin. Il s'assure qu'Alice en prend grand soin lors de ses escapades picturales et que le nouveau jardinier connaît bien le jardinage. Il donne aussi ses instructions pour les fleurs.

Le 15 janvier 1888, Monet retrouve la Côte d'Azur en se rendant à Antibes. Parti pour quelques jours, il reste trois mois et demi. Il réalise une trentaine de toiles : « Je m'escrime et lutte avec le soleil. [...] Il faudrait peindre ici avec de l'or et des pierreries[94]. » Monet, comme à son habitude, est dévoré par sa peinture : « En un mot, je m'ennuie à mourir dès que je n'ai plus ma peinture qui m'obsède et me tourmente bien. Je ne sais où je vais ; un jour je crois à des chefs-d'œuvre, puis ce n'est plus rien : je lutte, je lutte sans avancer. Je crois que je cherche l'impossible. Je suis néanmoins très courageux[95]. »

En juin de la même année, Théo Van Gogh expose une dizaine de tableaux, qu'il a acquis pour la galerie Boussod-Valadon. C'est un réel succès. Mais les relations avec Paul Durand-Ruel sont très mauvaises, aggravées par les maladresses du fils de ce dernier, Charles : « Vous trouvez regrettable que j'aie accepté cet engagement, mais, cher monsieur Durand, que serais-je devenu depuis quatre années sans M. Petit d'abord et sans la galerie Goupil ? Non, voyez, ce qui est regrettable, c'est que les circonstances vous aient mis dans la nécessité de ne pas pouvoir continuer à acheter[96]. » Les rapports deviennent néanmoins aussi difficiles avec Petit. Ainsi vont les relations entre artistes et marchands.

Au début de 1889, Monet fait part de son aversion pour la politique à Berthe Morisot : « Je vais de moins en moins à Paris, où du reste l'on n'est absorbé que par la politique[97]. »

Au printemps, il se rend dans la Creuse : « Me voici encore aux prises avec les difficultés d'un pays nouveau. C'est superbe ici, d'une sauvagerie terrible qui me rappelle Belle-Île. [...] Je croyais que j'allais y faire des choses étonnantes, mais hélas, plus je vais, plus j'ai de mal à rendre ce que je voudrais[98]. » Attaché à ses motifs, il engage même deux hommes pour ôter toutes les feuilles apparues sur les branches d'un vieux chêne. Il peint une vingtaine de tableaux, avec une particularité : neuf tableaux d'une même série à différents moments du soleil (déclin du jour, effet du soir, soleil couchant). Alors que, de manière inconsciente, Monet avait peint les *Débâcles* à Vétheuil, les *Falaises* à Varengeville, les *Champs de tulipes* en

Hollande et les *Marines* à Belle-Île et à Antibes, il va désormais systématiser les séries pour mieux appréhender la lumière et les paysages avec une plus grande receptivité aux effets fugitifs.

Mais la grande affaire pour Monet à ce moment-là, c'est l'organisation d'une exposition avec Auguste Rodin, qui doit avoir lieu en juin dans la galerie de Georges Petit. Monet a tenu à cette exposition. Il est très admiratif de Rodin : « Rien que vous et moi [...] nous pourrions faire quelque chose de bien à nous deux[99]. » Monet présente cent quarante-cinq œuvres qui retracent vingt années de travail. Rodin présente trente-six sculptures, dont les *Bourgeois de Calais*, qu'il présente pour la première fois avec une réelle fébrilité. Le catalogue est préfacé par Octave Mirbeau pour Monet et Gustave Geffroy pour Rodin. Mirbeau est enthousiaste : « Ce sont eux qui, dans ce siècle, incarnent le plus glorieusement, le plus définitivement, ces deux arts : la peinture et la sculpture[100]. » Néanmoins, à l'ouverture, Monet est mécontent : « J'ai pu constater [...] que mon panneau du fond [...] est absolument perdu depuis le placement du groupe de Rodin. [...] Le mal est fait [...] c'est désolant pour moi. [...] Si Rodin avait compris qu'exposant tous deux nous devions nous entendre pour le placement [...] s'il avait compté avec moi, et fait un peu de cas de mes œuvres, il eût été bien facile d'arriver à un bel arrangement sans nous nuire. [...] Je n'aspire qu'à une chose, c'est prendre le chemin de Giverny et y trouver le calme[101]. » Néanmoins, le choc entre deux personnalités artistiques très fortes n'aura pas lieu.

Fin mai 1889, a été inaugurée l'Exposition universelle à Paris. À cette occasion, se tient l'Exposition centennale de l'art français, où Monet présente trois tableaux. L'*Olympia* de Manet y figure également. Monet est informé de l'intention d'un collectionneur américain de l'acquérir auprès de la veuve d'Édouard Manet. Il ne peut accepter que ce chef-d'œuvre de Manet parte à l'étranger. Il a alors l'idée de l'offrir au Louvre en organisant une souscription « entre amis et admirateurs de Manet, pour acheter son *Olympia* et l'offrir au Louvre. C'est un bel hommage à rendre à sa mémoire et c'est en même temps une façon discrète de venir en aide à sa veuve, à laquelle ce tableau appartient[102] ». Monet écrit aux uns et aux autres pour collecter les fonds nécessaires. Berthe Morisot, la belle-sœur de Manet, tout en mesurant les difficultés à venir, fait cependant confiance à Monet : « Vous seul, avec votre nom, votre autorité, pouvez enfoncer les portes si elles sont enfonçables. » Les obstacles viennent curieusement d'Antonin Proust. Ancien ami de Manet et ancien (premier et seul) ministre des Beaux-Arts de la IIIe République pendant trois mois sous la présidence du Conseil de Gambetta de novembre 1881 à janvier 1882, c'est lui qui organise l'Exposition centennale de l'art français dans laquelle il a tenu à rendre hommage à Manet. C'est lui encore qui a organisé cinq années plus tôt une exposition entièrement consacrée à Manet à l'École des beaux-arts de Paris. En effet, selon des indiscrétions du *Figaro* et de *La République française*, Antonin Proust serait hostile à l'entrée du tableau dans les collections du Louvre. Monet est en colère. Il en fait son affaire : « Ce Proust est un joli coco. [...] Je lui écris son fait et puisque la guerre est déclarée nous allons lutter jusqu'au bout[103]. » Après avoir reçu une lettre au ton très ferme de Monet, Proust semble revenir sur ses préventions. Mais, très vite, l'hostilité grandit à nouveau, au point qu'il provoque Monet en duel. Duel qui n'a finalement pas lieu grâce à l'entremise des témoins de Monet, Théodore Duret et Gustave Geffroy, qui apaisent les tensions. Proust finit même par participer à la souscription.

Le 7 février 1890, Monet écrit au ministre de l'Instruction publique Armand Fallières : « Monsieur le Ministre, Au nom d'un groupe de souscripteurs, j'ai l'honneur d'offrir à l'État l'*Olympia*, d'Édouard Manet. […] de l'aveu de la grande majorité de ceux qui s'intéressent à la peinture française, le rôle d'Édouard Manet a été utile et décisif. Non seulement il a joué un grand rôle individuel, mais il a été, de plus, le représentant d'une grande et féconde évolution. Il nous a donc paru impossible qu'une telle œuvre n'eût pas sa place dans nos collections nationales, que le maître n'eût pas ses entrées là où sont déjà admis les disciples. Nous avons, de plus, considéré avec inquiétude le mouvement incessant du marché artistique, la concurrence [d'achat] qui nous est faite par l'Amérique, le départ, facile à prévoir, pour un autre continent, de tant d'œuvres d'art qui sont la joie et la gloire de la France[104]. » Finalement, après dix mois d'interventions actives de Monet, la magnifique et troublante *Olympia* de Manet est acceptée par l'État pour le musée du Luxembourg sans engagement de l'État, malgré les demandes de Monet de voir le tableau au Louvre dès que possible. Une donation est effectuée le 26 août 1890 et le décret d'acceptation signé le 17 novembre 1890. Épilogue de cette affaire : le transfert au Louvre aura lieu en 1907 grâce à Clemenceau. La bataille pour l'*Olympia* démontre à Monet que son combat pour sa peinture, pour leur peinture, n'est pas achevé. Les critiques demeurent, virulentes et sans appel.

Face-à-face et corps-à-corps exténuants du peintre et de sa peinture : « Je suis bien au noir et profondément dégoûté de la peinture. C'est décidément une torture continuelle ! Ne vous attendez pas à voir du nouveau, le peu que j'ai pu faire est détruit, gratté ou crevé. Vous ne vous rendez pas compte de l'épouvantable temps qu'il n'a cessé de faire depuis deux mois. C'est à rendre fou furieux, quand on cherche à rendre le temps, l'atmosphère, l'ambiance. Avec ça, tous les ennuis, me voilà bêtement atteint de rhumatisme. Je paie mes stations sous la pluie, la neige et ce qui me désole, c'est de penser qu'il me fait renoncer à braver tous les temps et à travailler dehors, hormis le beau temps. Quelle bêtise que la vie[105]. »

Et l'ami Mirbeau de le rassurer : « Ah ! Vous qui êtes un fort et un voyant, et qui avez le génie de la création, vous qui travaillez à ces choses vraies et saines, dites-vous bien que vous êtes un heureux et un élu de la vie et que vous avez tort de vous plaindre. Vous avez derrière vous une œuvre énorme et splendide ; vous en avez encore une, devant vous, plus belle peut-être parce que, chez les tempéraments comme le vôtre, tout grandit, s'élargit, pousse en force, avec le temps. Ne vous martyrisez pas à vouloir l'impossible[106]. »

*

Dans les années 1880, Monet ne s'est pas laissé déborder, ni par sa peinture ni par les néo-impressionnistes. Au contraire. Il a relevé avec talent le défi de la maturité. Alors que dans les années 1860 et 1870, il avait surtout peint Paris et ses environs, il ouvre maintenant sa peinture à la France et au monde. Face à la contestation de sa peinture et à une nouvelle école qui annonce l'art moderne, Monet revendique et assure la supériorité de sa peinture en renouvelant ses paysages et ses effets. C'est désormais au service d'une France aux paysages divers et merveilleux que Monet va mettre sa force et son génie esthétiques. De son côté, Clemenceau a beaucoup appris du théâtre politique. Son intransigeance a bousculé une majorité républicaine devenue conservatrice et prudente. Il affronte le temps de l'ingratitude et de la solitude des grands hommes. Sa force de caractère et d'âme lui permet alors de vivre une autre vie, une vie de journaliste, une vie de combat aussi au service du droit et de la justice, dont la France n'est jamais totalement absente.

Chapitre IV

LE DREYFUSARD
ET LE JARDINIER DE
GIVERNY (1893-1902)

« Une heure de donquichottisme
pour expier demain la vie bourgeoise
qui vous tentera demain ! [...] Soyez
déraisonnables tout un jour. Vous
aurez, pour la triste raison, tout le
reste de la vie. »

GEORGES CLEMENCEAU

« Je trouve votre œuvre merveilleuse et je le dis. Seulement ce n'est
pas assez. Il faudrait trouver des
accents pour enfoncer votre lumière
dans les cerveaux obscurs. Difficile
besogne. »

GEORGES CLEMENCEAU
À CLAUDE MONET

« Paris, avec ses fièvres, ses luttes, ses intrigues qui broient les volontés et détruisent les courages, ne pouvait convenir à un contemplateur obstiné, à un passionné de la vie des choses. Il habite la campagne dans un pays choisi, en constante compagnie de ses modèles ; et le plein air est son unique atelier. [...] Et c'est là que, loin du bruit, des coteries, des jurys, des esthétiques et des hideuses jalousies, il poursuit la plus belle, la plus considérable parmi les œuvres de ce temps. » Le 17 novembre 1890, Monet a acquis la grande maison qu'il louait à Giverny. Il y vit heureux loin des tumultes de Paris avec sa compagne, Alice, ses enfants et les enfants Hoschedé : « mes jolis modèles ». Il a sollicité l'aide de Durand-Ruel pour cet achat en jouant sur la corde sensible : quitter Giverny l'« ennuierait beaucoup, certain de ne jamais retrouver une pareille installation et un si beau pays[1] ». Pays qu'il ne cesse de parcourir à travers champs et qui va devenir le cœur de sa révolution picturale avec ses « séries ».

En effet, c'est en 1888 que Claude Monet a peint pour la première fois une série : les *Meules*. Par hasard. Cinq toiles. Meules en attente du battage par des ouvriers agricoles qui travaillent pour un des fermiers de Giverny. Il est pris pour un fou par ces derniers. Clemenceau décrit la métamorphose : « Quand je vis Monet avec ses quatre toiles devant son champ de coquelicots, changeant sa palette à mesure que le soleil poursuivait sa course, j'eus le sentiment d'une étude d'autant plus précise de la lumière que le sujet, supposé immuable, accusait plus fortement la mobilité lumineuse. C'était une évolution qui s'affirmait, une manière nouvelle de regarder, de sentir, d'exprimer : une révolution. De ce champ de coquelicots, bordé de ses trois peupliers, date une époque de notre histoire dans la sensation comme dans l'expression des choses. Les *Meules*, les *Peupliers* suivirent[2]. »

Pendant des mois, à l'automne et à l'hiver 1890, Monet continue à peindre ces meules. Et d'expliquer sa quête esthétique : « Je m'entête à une série d'effets différents [des meules]. Plus je vais, plus je vois qu'il faut beaucoup travailler pour arriver à rendre ce que je cherche : l'instantanéité, les choses faciles venues d'un jet me dégoûtent. Enfin, je suis de plus en plus enragé du besoin de rendre ce que j'éprouve, et fais des vœux pour vivre encore pas trop impotent, parce qu'il me semble que je ferai des progrès[3]. » Alors que depuis le début des années 1880 Monet s'attachait à peindre une œuvre unique en plein air, sa technique change à partir de 1890 pour se fonder sur des séries de tableaux, commencés sur le motif en plein air, puis retravaillés et achevés en atelier, avant d'être exposés en série entière.

Monet est également satisfait de constater que les acheteurs viennent le voir à Giverny. Il se trouve ainsi en meilleure position pour négocier les prix avec Durand-Ruel : « Je vous réserve des toiles, mais n'ai pu tout garder : Valadon est venu me voir dernièrement, il en a pris plusieurs et c'est à grand-peine que j'ai pu garder les *Meules*[4]. » Durand-Ruel lui propose d'organiser au printemps 1891 une exposition dans sa galerie. Monet le fait patienter, tout en lui opposant un net refus à une exposition reconstituant l'ancien groupe. Monet entend exposer seul. Non par excès de vanité, mais simplement pour une meilleure mise en valeur et une efficacité commerciale plus grande.

En mai 1891, Durand-Ruel organise finalement l'exposition dans sa galerie avec vingt-deux tableaux de Monet, dont la série de quinze *Meules*. C'est un immense succès : « On ne demande que des Monet, il paraît qu'il n'en fait pas assez. Le plus terrible c'est que tous veulent avoir des Meules au soleil couchant. [...] Tout ce qu'il fait part pour l'Amérique à des prix de quatre, cinq, six mille francs[5]. » Gustave Geffroy écrit la préface du catalogue : « De toutes ces physionomies du même lieu, il s'exhale des expressions qui sont pareilles à des sourires, à des gravités et à des stupeurs muettes, à des certitudes de force et de passion, à de violents enivrements[6]. » Mirbeau surenchérit : « Un même motif — comme dans l'étonnante série des meules hivernales — lui suffit à exprimer les multiples et si dissemblables émotions par où passe, de l'aube à la nuit, le drame de la terre[7]. » En deux jours, tous les tableaux sont vendus. À tel point que Monet passe la fin du printemps et une partie de l'été à reprendre dans son atelier des *Meules*.

Après les *Meules* hivernales, les *Peupliers* de l'été. Monet s'est mis à peindre des peupliers proches de sa maison de Giverny. Jusqu'au jour où il découvre que ses modèles vont être abattus : « Arrivant en canot sur l'Epte, où il peignait sa série des *Peupliers*, il remarqua qu'ils étaient tous marqués à la hache, à la base du tronc. Renseignement pris, nous sûmes qu'ils devaient être abattus d'un jour à l'autre[8]... » Il est prévu que les arbres soient vendus à un marchand de bois par la commune de Limetz à laquelle appartient ce terrain en bord de marais. Monet tente de sauver ses modèles. Le maire refuse. L'adjudication est votée par le conseil municipal. Monet s'associe avec un marchand de bois. Il paiera la différence entre le prix que voulait mettre ce dernier et l'enchère à la condition de n'abattre les peupliers que lorsqu'il aura terminé ses toiles. Marché conclu. Ils remportent l'enchère. Et les peupliers sont sauvés. De son petit canot, Monet réalise une vingtaine de tableaux qui composent la série : les « *Peupliers* furent peints sur un bateau à fond plat dans lequel il avait creusé des rainures pour faire tenir plusieurs toiles. À propos des *Peupliers*, il m'expliqua que l'effet durait tout juste sept minutes — jusqu'à ce que le soleil quitte une certaine feuille —, et qu'il sortait alors une autre toile pour y travailler. Il insistait beaucoup sur la nécessité vitale, pour le peintre, de repérer le moment où l'effet se modifie, afin d'obtenir une impression vraie d'un certain état de la nature, et non un tableau composite comme il y en a tant, anciens ou récents. Il admit qu'il était difficile de s'arrêter à temps parce qu'on se laisse emballer — ajoutant : "J'ai cette force-là, c'est la seule que j'aie[9] !"... » Et quelle force !...

Une première série des *Peupliers* est exposée en janvier 1892 par Maurice Joyant, qui a succédé à Théo Van Gogh au sein de la maison Boussod-Valadon ; en mars, Paul Durand-Ruel présente lui aussi une quinzaine de toiles de la série des *Peupliers*. C'est une première qu'une série soit ainsi exposée seule. L'accueil est enthousiaste, ce qui rassure Monet. Les problèmes d'argent sont désormais derrière lui. Sa cote lui garantit une certaine sérénité financière, mais pas artistique.

Depuis le mois de février, Monet s'est installé face à la cathédrale de Rouen. Une nouvelle série commence : les *Cathédrales*. Le motif est toujours identique. Il est peint sous le même angle, à partir de trois emplacements légèrement différents à cause de petits tracas des propriétaires de ses emplacements. Ce n'est plus avec la nature, mais avec la pierre que Monet va lutter pendant de longs mois : « Quelle difficulté, mais ça marche, et quelques jours encore et de ce beau soleil et bon nombre de mes toiles seront sauvées. Je suis rompu, je n'en peux plus et ce qui ne m'arrive jamais, j'ai eu une nuit remplie de cauchemars : la cathédrale me tombait dessus, elle semblait ou bleue ou rose ou jaune[10]. » Monet revient à Giverny. Il est mécontent de son travail. Désemparé aussi d'avoir dû abandonner. Au point que l'année passe sans que Monet travaille réellement : « J'ai été cette année d'une paresse complète qui m'effraie un peu[11]. » À sa décharge, l'année 1892 fut riche en événements personnels. Le 16 juillet, Claude Monet épouse enfin Alice Hoschedé, près d'un an après le décès de son mari, Ernest. Et, quatre jours plus tard, c'est Suzanne Hoschedé, la fille d'Alice, que Monet accompagne à l'autel pour se marier avec un jeune peintre américain. En 1893, Claude Monet reprend son combat avec la cathédrale de Rouen. C'est un vrai défi pour lui : « J'en viendrai à bout de cette cathédrale[12]. » Il revient de Rouen avec trente versions. Il les termine à Giverny. Il a gagné.

*

« J'ai été méconnu dans mon foyer, trahi dans mes amitiés, lâché dans mon parti, ignoré par mes électeurs, suspecté par mon pays, *La Justice* a fermé ses bureaux, ses créanciers assaillent ma porte. Je suis criblé de dettes et je n'ai plus rien, plus rien, plus rien[13]… » À cinquante-deux ans, Clemenceau est ébranlé par sa défaite. Il n'a plus rien ou presque. Il ne lui reste qu'un journal au bord de la faillite et des dettes. Il est seul ; ayant divorcé de sa femme, Mary, qui, longtemps délaissée, avait fini par prendre un amant. Clemenceau, non exempt lui-même de relations extraconjugales, ne le supporte pas ! Attitude bien masculine. Il la renvoie aux États-Unis.

Clemenceau part méditer en Vendée. Il y goûte à la solitude des grands hommes. Un mois après sa défaite, il revient à Paris. Il doit se trouver un nouveau travail et faire face à ses charges financières. Il décide de continuer l'action en devenant journaliste : « J'ai fait mon premier article à 53 ans[14] ! » Le 3 octobre 1893, Clemenceau est le nouveau rédacteur en chef de *La Justice*. « En avant » est le titre qui s'affiche en grand sur six colonnes. Clemenceau s'est remis en selle. Il écrit aussi pour différents journaux. Il vend ses tableaux et paie ses dettes. Il retrouve ses amis écrivains et peintres. Il resserre ses liens avec Monet. La politique ne dévore plus son emploi du temps. Il tombe même amoureux d'une jeune et belle Américaine, Selma Everdone. L'ardeur est revenue. Une nouvelle vie commence, celle de journaliste. Avec une dizaine d'articles par semaine, un roman, *Les plus forts*, et une pièce de théâtre, *Le voile du bonheur*, Clemenceau noircit du papier sans jamais cesser. Son dernier article paraît le 15 novembre 1917, avant qu'il ne gouverne une nouvelle et dernière fois le pays.

*

Terrible mois de février 1894. Le docteur Georges de Bellio, Gustave Caillebotte et le père Tanguy meurent. Les deux premiers ont été les plus fidèles soutiens de Monet pendant toutes ces années. L'aidant financièrement à chaque sollicitation désespérée ; et elles furent nombreuses. Bellio lui acheta sa première toile en 1874. Au fil des années, ce dernier a acquis plus de trente tableaux de Monet, qui a rejoint sa collection de Goya, de Delacroix, de Daubigny, de Corot, de Sisley, de Pissarro, de Renoir, de Degas… Monet, de son côté, aide Renoir, l'exécuteur testamentaire de Caillebotte. Ce dernier a légué ses tableaux à l'État pour le musée du Luxembourg. L'État fait la fine bouche et Renoir bataille avec ses services. Le père Tanguy était le marchand de couleurs de Monet, rue des Martyrs : « Sa boutique était tout à fait minuscule et sa vitrine si petite qu'on ne pouvait y montrer qu'un tableau à la fois. C'est là que nous avons commencé, chacun de nous, à exposer nos toiles. Le lundi, Sisley, le mardi, Renoir, le mercredi, Pissarro, moi, le jeudi, le vendredi, Bazille, et le samedi, Jongkind. Un jeudi, je bavardais avec lui sur le pas de sa porte, quand il me désigna du doigt un vieux petit monsieur. [...] C'était Daumier. [...] Je l'admirais passionnément et mon cœur battait fort à la pensée qu'il allait peut-être s'arrêter devant ma toile. [...] Il s'arrêta, considéra ma toile, fit la moue, haussa l'une de ses épaules — et s'en alla. [...] Ç'a été le plus grand chagrin de ma vie[15]. » Monet, l'ancien caricaturiste, n'a pas eu la reconnaissance de Daumier, expert en la matière. Cruelle déception.

Maintenant que les succès sont au rendez-vous, Monet devient plus exigeant avec ses marchands, notamment avec Durand-Ruel. Il renégocie ses conditions. Il ne veut toujours pas de l'exclusivité, trouvant « absolument néfaste et mauvais pour un artiste de vendre à un seul marchand ». Par ailleurs, il veut prendre son temps : « Je veux du reste, désormais, ne plus vendre mes toiles d'avance, je les veux finir d'abord, et sans me presser, et choisir au bout d'un certain temps quelles sont celles que je vendrai. » Mais surtout, alors que les *Cathédrales* sont enfin achevées, Monet se montre particulièrement exigeant. Il demande 15 000 francs pour ses tableaux. Il met même en concurrence Paul Durand-Ruel et la maison Boussod-Valadon. Les relations se tendent entre Monet et Durand-Ruel. Mais Monet campe sur ses positions en renonçant à l'exposition que voulait Durand-Ruel. Il ne changera pas son prix.

Fin janvier 1895, Monet se rend en Norvège pour voir son beau-fils, Jacques Hoschedé, qui s'est marié avec une Norvégienne. Il s'installe près du village de Sandviken, à quelques kilomètres d'Oslo. Premier sentiment, l'émerveillement. Après une dizaine de jours, toutefois, Monet ne tarde pas à déchanter : « Il se pourrait que, subitement, je reprenne le chemin de la France, n'ayant aucun goût pour m'embarquer désormais pour des pays étrangers. [...] Ici, manger à une autre heure qu'eux est chose presque impossible, on se couche fort tard et on se lève de même. Enfin, malgré l'amabilité des Norvégiens, j'en ai plein le dos et tout cela parce que je ne peux pas travailler, que c'est chose impossible[16]. » Finalement il persévère dans son obstination : « J'aurais tant de choses différentes à faire et c'est là que j'enrage le plus car il est impossible de voir de plus beaux effets qu'ici. Je parle des effets de neige qui sont absolument stupéfiants, mais d'une difficulté inouïe et puis que ce temps est changeant [...]. Ces changements me font perdre un temps précieux, mais je ne puis cependant pas mettre des quantités de toiles en train, de sorte que souvent je reviens bredouille et par conséquent furieux[17]. » Le plus surprenant dans ce voyage en Norvège est la curiosité que Monet suscite. Il est sollicité par les journalistes et les peintres. Des dîners sont donnés en son honneur, au plus grand étonnement de Monet : « On m'a porté un toast, au peintre Claude Monet, une gloire de la France, choc de verres et tout le monde, hommes et femmes, debout, entonnant *La Marseillaise*, tu vois ma tête, et ça finit par "hip hip hourra" assourdissant[18]. » Même le prince royal vient le visiter. Monet, qui n'est certes pas habitué à un tel accueil, y est réellement sensible : « Ils ne sont vraiment pas bien exigeants, mais je dois l'avouer, je suis touché de leur témoignage qui paraît si sincère[19]. » Monet rentre fin avril à Giverny avec quelques toiles sous le bras, dont huit paysages qui seront présentés, avec les *Cathédrales*, à la galerie Durand-Ruel.

En effet, Monet a fini par trouver un terrain d'entente avec Paul Durand-Ruel. Le prix des *Cathédrales* a été ramené à 12 000 francs. Et, en mai 1895, Durand-Ruel peut enfin organiser son exposition des œuvres de Monet. Quarante-neuf tableaux sont présentés, dont vingt *Cathédrales*. L'exposition est un succès immédiat. Et Pissarro de le confirmer : « Monet a ouvert son exposition hier, il y aura vingt Cathédrales de Rouen !!! [...] Ce sera la great attraction. Elle durera jusqu'à la fin du mois[20]. »

Plus que le succès, c'est un homme qui va combler Monet ; et plus précisément l'article qu'il lui consacre. Le 20 mai 1895, en une et sur six colonnes, Clemenceau célèbre Monet et ses *Cathédrales* dans *La Justice* : « Je suis entré chez Durand-Ruel pour revoir à loisir les études de la cathédrale de Rouen dont j'avais eu la joie dans l'atelier de Giverny, et voilà que cette cathédrale aux multiples aspects, je l'ai emportée avec moi, sans savoir comment. Je ne puis m'en débarrasser. Elle m'obsède. [...] Avec vingt toiles, d'effets divers, justement choisis, le peintre nous a donné le sentiment qu'il aurait pu, qu'il aurait dû en faire cinquante, cent, mille, autant qu'il y aurait de secondes dans sa vie, si sa vie durait autant que le monument de pierre. [...] L'œil de Monet, précurseur, nous devance et nous guide dans l'évolution visuelle qui rend plus pénétrante et plus subtile notre perception de l'univers. [...] Ces vingt toiles qui, réunies, représentent un moment de l'art, c'est-à-dire un moment de l'homme lui-même[21]. »

Monet en est particulièrement touché : « Je ne sais que vous dire ni comment vous remercier pour l'admirable article que vous m'avez consacré. Je suis tout confus de tant d'éloges et ne peux croire que je les mérite, mais ce que je puis vous dire, c'est que je suis très fier de votre admiration et d'avoir pu vous inspirer à ce point. Modestie à part et moi en dehors, c'est magnifiquement dit, c'est superbe. Je vous remercie de tout cœur[22]. »

Et Clemenceau de lui répondre : « Mon cher ami, je suis content que vous soyez content. Si l'article est bon, c'est qu'il vient de vous. Mais je le trouve fort au-dessous de ce qu'il aurait fallu dire. Je suis retourné hier aux *Cathédrales* et je me suis trouvé confus d'avoir été si inférieur à mon sujet. Je trouve votre œuvre merveilleuse et je le dis. Seulement ce n'est pas assez. Il faudrait trouver des accents pour enfoncer votre lumière dans les cerveaux obscurs. Difficile besogne. Travaillez, et soyez remercié d'avance de tout ce que vous ferez encore pour les yeux qui viendront[23]. »

L'intimité entre les deux hommes est encore naissante. Claude Monet donnant encore du « Monsieur » à Clemenceau. Les deux hommes ont renoué à l'aube des années 1890 avec la défaite du Tigre, qui lui laisse le temps de faire autre chose que de la politique. Le texte qu'il publie le 20 mai marque à la fois le début réel de leur profonde amitié et la grande admiration qu'il éprouve pour Monet. Il ne cessera jusqu'à la fin de l'encourager et de le soutenir. Et jusqu'à la fin de lui redire : « Travaillez. »

En 1895, ce qui préoccupe Monet, c'est encore et toujours son jardin. Giverny est le centre des préoccupations de Monet. Il multiplie les démarches administratives. Il veut aménager des bassins pour y faire pousser des plantes aquatiques. Pour réunir les différentes parcelles, il veut également construire des passerelles. Il lui faut de même faire une prise d'eau sur la rivière de l'Epte pour assurer le renouvellement de l'eau des bassins. Malgré les quelques réticences de ses voisins, il finit par obtenir les autorisations préfectorales nécessaires. Les nénuphars peuvent éclore. Mais un danger menace Giverny : l'implantation d'une usine d'amidon dans le marais communal. Monet se renseigne. La mairie ne communique pas. En mai, il s'adresse alors au préfet : « J'habite ce pays où je suis propriétaire depuis quinze années. Je m'y suis fixé à cause du charme et de la beauté de l'endroit et je crois pouvoir dire que j'ai contribué dans une certaine mesure au bien-être et à la prospérité du pays en y attirant un certain nombre d'artistes et d'étrangers. [...] Il est certain que la vente du marais communal pour y établir une usine quelconque entraînera le départ de tous les artistes et des étrangers, au détriment de bien des habitants. Je sais que, pour ma part, s'il est donné suite à ce projet, je suis décidé à le quitter aussitôt, considérant cela comme la perte du pays, c'est pourquoi je proteste énergiquement contre la vente du marais[24]. » Le sous-préfet se rend sur place. Monet offre d'acquérir le marais. En vain. Le maire tient à son amidonnerie. Une nouvelle enquête est menée sur ordre du préfet. En août, Monet apprend qu'un acquéreur s'apprête à acheter le marais. Finalement, Monet offre une somme supérieure à sa première offre, non plus pour acquérir le marais, mais pour que la mairie ne le vende pas. En contrepartie, la somme versée servira à son entretien. Marché conclu. Après avoir retardé le démontage des meules et l'abattage des peupliers et réalisé une prise d'eau pour alimenter ses bassins, Monet réussit encore à sauvegarder ses modèles. Et le modèle qu'il construit petit à petit pour les années à venir, c'est son jardin de Giverny. Avec ses bassins, son pont japonais. Sa maison aussi est réaménagée. Une ancienne ferme qui jouxte sa maison est transformée en un grand atelier. Une grande salle carrée avec deux grandes baies qui donnent d'un côté sur la route et de l'autre sur le jardin ; le tout baigné de lumière. Giverny qu'il quitte le moins possible, sauf pour les amis.

Monet reste fidèle en amitié.

À Cézanne, comme le raconte le marchand d'art Ambroise Vollard : « Le premier jour de mon exposition Cézanne, je vis entrer un homme barbu, de forte corpulence, qui avait tout à fait l'air d'un gentleman-farmer. Sans marchander, mon acheteur prit trois toiles. Je pensai que j'avais affaire à quelque collectionneur de province. C'était son extrême simplicité et la fervente admiration qu'il témoignait à son vieux camarade des temps héroïques de l'impressionnisme, à Cézanne, encore si méconnu[25]. » Cézanne qui disait de Monet : « Ce n'est qu'un œil, mais quel œil[26] ! » Et Monet d'admirer son ami Cézanne : « Cet homme ne pensait qu'à peindre, n'aimait que peindre… Et jamais de concession[27] ! »

À Berthe Morisot, en aidant sa fille, Julie Manet, à organiser l'exposition qui lui est consacrée en mars 1896 à la galerie Durand-Ruel. Monet prête non seulement les tableaux de Berthe Morisot qu'il possède, mais effectue également les démarches auprès de collectionneurs. Il est présent pour l'accrochage, où il donne ses directives. Il négocie même pendant deux jours avec Degas sur la place d'un paravent.

À Caillebotte et à Manet aussi. En mars 1897, Monet se rend au musée du Luxembourg, où sont exposés le legs Caillebotte et l'*Olympia* de Manet. Cette exposition est décriée. Dix-sept membres de l'Institut écrivent une lettre de protestation. Un sénateur s'offusque en pleine séance de cette « misérable collection » : « Non seulement cette malheureuse innovation n'a rien qui soit digne de nos grands peintres, mais elle est un défi au bon goût du public et l'antithèse français[28]. » Les années passent. Pas la bêtise.

À Rodin qu'il soutient alors que sa sculpture de Balzac est contestée. Commandé par Zola en 1891 et présenté au Salon du Champs-de-mars en mai 1898, le *Balzac* de Rodin subit les foudres du public et de la critique. Et Monet, si occupé à Giverny à peindre, de lui écrire : « Enfin j'ai vu votre *Balzac*, et, bien que je fusse certain de voir une belle chose, mon attente a été dépassée, je vous le dis bien sincèrement. Vous pouvez laisser crier, jamais vous n'étiez allé plus loin : c'est absolument beau et grand, c'est superbe et je ne cesse d'y penser[29]. » Rodin a bien besoin de ce soutien : « Vous me rendez heureux avec votre appréciation de *Balzac*. Merci. Votre appréciation est une de celles qui m'étayent fortement, j'ai reçu une bordée, qui est pareille à celle que vous avez eue autrefois quand il était de mode de rire de l'invention que vous aviez eue de mettre de l'air dans les paysages[30]. » L'amitié de Rodin est sincère et son admiration réelle, qu'il témoigne à Monet dans une lettre du 22 septembre 1897 : « Le même sentiment de fraternité, le même amour de l'art nous a faits amis pour toujours. [...] C'est toujours la même admiration que j'ai pour l'artiste qui m'a aidé à comprendre la lumière, les nuées, la mer, les cathédrales que j'aimais tant déjà, mais dont la beauté réveillée dans l'aurore par votre traduction m'a touché si profondément[31]. »

À Sisley enfin. En janvier 1899, Sisley meurt après de longs mois d'un cancer de la gorge qui l'a fait durement souffrir. Sisley a appelé Monet quelques jours auparavant. Monet est venu. Il a compris. C'était pour lui dire un dernier adieu. Personne aux obsèques, à part Monet, Renoir et Pissarro. L'héritage de Sisley est maigre et les enfants se retrouvent sans rien. Monet les aide : « Pour le moment, je vais m'occuper de faire une vente au profit des enfants ; c'est le plus pressant, ensuite on s'occupera de faire une très belle exposition des meilleures œuvres de Sisley[32]. » Monet contacte les uns et les autres, les peintres, les marchands, les collectionneurs, les héritiers. Et tous donnent pour les enfants de Sisley : Durand-Ruel, Degas, Guillaumin, Julie Manet, Martial Caillebotte, Petit, Cézanne... Un catalogue est préparé. La vente a lieu le 1er mai 1899. Elle est un succès. Les enfants de Sisley sont à l'abri.

Pendant ces années, Monet se porte également acquéreur des toiles de ses amis. Il surveille par ailleurs sa cote dans les différentes ventes où figurent ses tableaux. De son côté, Paul Durand-Ruel veille aussi, n'hésitant pas à acheter pour soutenir parfois la cote de Monet. Et Boudin de lui rappeler ce soutien précieux : « Vous avez eu vos luttes aussi, mais vous êtes payé de votre labeur, ce me semble, puisque le succès vous est venu, sans que l'officiel y soit pour rien, grâce aussi à ce brave Durand-Ruel qui vous a soutenu avec la foi d'un croyant[33]. »

*

Alors que Monet s'attache définitivement à Giverny et à ses séries, Clemenceau se lance tout entier dans un grand combat qui va l'occuper pendant plus de dix ans. Celui de la justice pour le capitaine Alfred Dreyfus.

Le 22 décembre 1894, Dreyfus est déclaré coupable de trahison par un conseil de guerre réuni à huis clos sur la base de pièces secrètes non communiquées à l'accusé. Clemenceau écrit : « Un homme élevé dans la religion du drapeau, un soldat honoré de la garde des secrets de la Défense Nationale a trahi !... Comment se trouve-t-il un homme pour un tel acte[34] ? » Le 5 janvier 1895, le capitaine Alfred Dreyfus est solennellement dégradé dans la cour de l'École militaire. Ses galons sont arrachés. Son sabre brisé. Il est déporté à l'île du Diable, la partie la plus dure du bagne de Cayenne. Jaurès, comme Clemenceau, s'étonne même qu'on condamne les anarchistes à mort et pas le traître Dreyfus. Au moment de la condamnation de Dreyfus, en décembre, il n'y a pas encore d'affaire.

L'Affaire n'éclate que trois ans plus tard. Entre-temps, Mathieu Dreyfus, le frère du capitaine Dreyfus, s'est activé. Il a confié à l'écrivain Bernard Lazare la mission d'enquêter sur le procès de son frère. Au terme de cette enquête, ils sont tous les deux convaincus de l'innocence du capitaine Dreyfus. Ils tentent de gagner à leur cause Émile Zola, des écrivains, des politiques.

Parallèlement, le chef d'état-major de l'armée, le général de Boisdeffre, agacé des remises en cause de la culpabilité de Dreyfus, demande au lieutenant-colonel Picquart, qui est le nouveau chef du bureau des renseignements, d'entreprendre discrètement de nouvelles recherches sur cette affaire pour fournir des preuves décisives de cette culpabilité. En mars 1896, après avoir repris le dossier, Picquart découvre que celui-ci est vide. Dreyfus est innocent. Non seulement les pièces dites « secrètes » ne présentent aucun intérêt, mais surtout le vrai coupable est le commandant Esterhazy. L'écriture de ce dernier est bien celle du fameux bordereau de la trahison. Picquart en informe ses supérieurs, qui lui recommandent la prudence. Devant son obstination à faire reconnaître la justice, ils s'opposent catégoriquement à la réouverture du dossier. Picquart est muté en Tunisie. L'Affaire est pour le moment étouffée.

Trois hommes vont convaincre Clemenceau de l'illégalité et de l'injustice du procès ; l'innocence viendra après : son ami Scheurer-Kestner, Mathieu Dreyfus, et Lucien Herre, le bibliothécaire de l'École normale supérieure de la rue d'Ulm. Après la faillite de *La Justice*, dont il paiera les dettes jusqu'en 1920, Clemenceau est devenu rédacteur en chef de *L'Aurore* en octobre 1897. Le 1er novembre, il publie son premier article sur l'affaire Dreyfus. Suivront, jusqu'en 1903, plus de 665 articles, représentant plus de 4 000 pages en sept volumes. « Dreyfus a été jugé par ses pairs, et déclaré coupable. Nous devons tenir le jugement pour bon jusqu'à nouvel ordre. Ce qui fait évidemment l'hésitation de quelques consciences, c'est que certaines pièces du procès ont été soustraites au regard de tous, dans l'intérêt supérieur de la France, a-t-on dit. C'est aussi que l'expertise en écriture sur laquelle se fonde la condamnation a parfois été reconnue de certitude douteuse devant les tribunaux. C'est qu'enfin Dreyfus est juif, et qu'une campagne antisémitique prolongée a créé dans une partie de l'opinion française un préjugé violent contre le peuple de qui nous vint Jésus. La bonne foi des juges ne saurait être mise en question. Mais les hommes sont faillibles[35]. » Ce n'est que quelques semaines plus tard, grâce à Mathieu Dreyfus, que Clemenceau est convaincu de l'innocence de Dreyfus. Les articles se succèdent alors. Désormais, l'Affaire commence. Et Zola lance le combat dans *Le Figaro* du 25 novembre : « La vérité est en marche, et rien ne l'arrêtera[36]. »

Les antidreyfusards s'organisent aussi. Drumont en tête. Le « Syndicat » est montré du doigt : cette « puissance mystérieuse et occulte, assez forte pour pouvoir, à son gré, jeter le soupçon sur ceux qui commandent à notre armée, sur ceux qui, le jour où de grands devoirs s'imposeront à elle, auront mission de conduire à l'ennemi et de diriger la guerre[37] ».

Les 10 et 11 janvier 1898, se tient le procès Esterhazy. Il se passe une nouvelle fois à huis clos. Et il est jugé par des militaires. Esterhazy est acquitté. De son côté, Picquart, qui avait fini par révéler les preuves qu'il détenait, est condamné à soixante jours de forteresse. Les dreyfusards sont découragés.

Zola ne s'en laisse pas conter pour autant. Il écrit un nouveau texte dénonçant le déni de justice. Il entend frapper un grand coup pour relancer les dreyfusards. Clemenceau ouvre les colonnes de *L'Aurore* à Zola et à sa lettre ouverte à Félix Faure, président de la République. Clemenceau trouve le titre : « J'accuse… ! » Il est publié le 13 janvier 1898. L'effet est retentissant.

Le lendemain, Clemenceau rappelle sa position de principe : « Pour le moment, sans affirmer une innocence dont je n'ai point de preuves, je me borne à demander la loi égale pour tous, car les garanties de justice ne peuvent être supprimées à l'égard d'un seul sans que le corps social tout entier soit menacé dans son ensemble[38]. »

Un procès est intenté à Zola par le général Billot, le ministre de la Guerre. L'antisémitisme est à l'œuvre. Des manifestations s'organisent en France. Des meurtres sont commis. La fièvre s'empare de la France. Le procès de Zola se tient du 7 au 23 février 1898. L'ambiance est survoltée. Les vociférations des antidreyfusards sont bruyantes. L'avocat Fernand Labori défend Zola. Il plaidera pendant trois jours. La parole est à Zola : « Je n'ai pas voulu que mon pays restât dans le mensonge et dans l'injustice. On peut me frapper ici. Un jour, la France me remerciera d'avoir aidé à sauver son honneur[39]. » Clemenceau a eu le droit de plaider pour lui-même. Son frère Albert, qui est avocat, le défend aussi. Il redit son attachement au droit : « Quand le droit d'un seul est lésé, le droit de tous se trouve en péril, le droit de la nation elle-même[40]. » Ils ne seront pas entendus.

Zola est condamné au maximum de la peine : 3 000 francs et un an de prison. Le président du Conseil, Jules Méline, soulagé, déclare à la Chambre : « Il n'y a plus, à l'heure actuelle, ni procès Zola, ni procès Esterhazy, ni procès Dreyfus ; il n'y a plus de procès du tout[41]. »

Erreur. Le procès a permis au colonel Picquart de parler et aux défenseurs d'Esterhazy de se dévoiler. De ce procès, Clemenceau ressort avec la conviction que le pouvoir militaire cherche à prendre son autonomie et représente un véritable danger : « Pour le moment, la question du gouvernement sous le sabre prime toutes les autres[42]. » Le pouvoir civil protège les militaires. L'armée est inattaquable. Elle représente trop d'attentes et d'espoirs, notamment pour l'Alsace-Lorraine, pour qu'elle soit déstabilisée. Et en refusant la révision, l'armée ne veut pas se déjuger. Ce qu'un député de droite, antidreyfusard, traduit par : « Que Dreyfus soit coupable ou innocent, je ne veux pas de la révision[43]. » Ce à quoi Clemenceau répond : « Sublime parole, qu'il faut enregistrer pour l'Histoire, car c'est la clef de toute l'affaire Dreyfus. Innocent ou coupable, il faut que Dreyfus reste au bagne, voilà la pensée cachée aux plus obscures profondeurs. [...] Je ne veux pas de révision, qu'est-ce que cela veut dire, qu'est-ce que cela signifie, sinon qu'il ne faut pas donner raison aux juifs en reconnaissant que l'un d'eux fut injustement frappé, car ce serait chagriner grandement l'Église, qu'il ne faut pas donner tort à nos chefs militaires en montrant qu'ils se sont trompés, car ce serait diminuer le prestige du haut commandement à qui nous devons de si retentissantes défaites[44] ! »

La maladresse des antidreyfusards profite aux

170

dreyfusards. Le 7 juillet 1898, le nouveau ministre de la Guerre, Godefroy Cavaignac, petit-fils de régicide et fils du général porté à la tête du gouvernement de la IIe République, entend mettre un terme à l'Affaire en démontrant à la tribune de la Chambre la culpabilité de Dreyfus. Il donne lecture des pièces du dossier secret qui avaient conduit à la condamnation de Dreyfus. Et de lire les trois fameuses lettres de ce dossier, dont la dernière est postérieure de deux années à la condamnation. À l'unanimité, la Chambre vote l'affichage public du discours. Une « honte sur nos murailles », écrit Clemenceau. En agissant ainsi, Cavaignac offre enfin aux dreyfusards le moyen de demander la révision du procès ; ces documents ayant été cachés à l'accusé et à son avocat. Retour à la case procès. Et Zola de conclure : « Les Cavaignac se suivent, mais ne se ressemblent pas. »

L'agitation reprend de plus belle. Le 8 juillet, *Le Temps* publie la lettre de Picquart proposant au président du Conseil de démontrer que les deux premières lettres ne concernent pas Dreyfus et que la troisième pièce est un faux. Le 13 juillet, Picquart est arrêté pour divulgation de documents secrets intéressant la Défense nationale. Le 5 août, le pourvoi en cassation de Zola est rejeté. Les antidreyfusards exultent. Le 11 août, Cavaignac veut pousser son avantage. Il propose au gouvernement de traduire devant la Haute Cour les principaux dreyfusards pour atteinte à la sûreté de l'État, à savoir Mathieu Dreyfus, Bernard Lazare, Auguste Scheurer-Kestner, Arthur Ranc, Émile Zola, Joseph Reinach, Jean Jaurès et Georges Clemenceau. Prudent ou lucide, le président du Conseil ne suit pas son ministre de la Guerre.

L'Affaire n'en a pas fini pour autant avec les rebondissements. Le 13 août, le capitaine Cuignet, attaché au cabinet du ministre de la Guerre, découvre que la troisième pièce accusant Dreyfus est un faux. Cette lettre est composée en fait de deux papiers différents. Il en informe Cavaignac. L'enquête menée aboutit au commandant Henry, ancien subordonné et rival de Picquart. Les choses s'éclaircissent : Esterhazy était protégé par Henry.

Entre-temps, le 16 août, Esterhazy est finalement réformé pour « méconduite habituelle ». Le 30 août, Henry est confronté aux généraux Boisdeffre, Gonse et Roget. Henry finit par avouer en affirmant qu'il a agi dans l'intérêt du pays. Ses partisans parleront de « faux patriotique ». Boisdeffre démissionne sur-le-champ. Le 31 août, Henry est mis aux arrêts de rigueur au Mont-Valérien. Il se tranche la gorge quelques heures plus tard. Le général de Pellieux demande sa mise en retraite. Il était le protecteur d'Esterhazy. Ce dernier fuit en Belgique pour rejoindre l'Angleterre. Le 3 septembre, Cavaignac démissionne. Il ne veut pas de la révision. Elle aura pourtant lieu. Plus rien ne s'y oppose.

De son côté, Clemenceau écrit presque tous les jours. Sommant les uns, dénonçant les autres, réclamant le droit et la justice. Il parle des « ministres crédules », des « complices des faussaires », de la « lâcheté des chefs républicains », de « ce tartuffe épais de Félix Faure ». Picquart va rester en effet en prison jusqu'au 9 juin 1899. Clemenceau dénonce cette détention.

Le 27 septembre, le Conseil des ministres finit par voter la révision du procès de Dreyfus. Clemenceau exulte : « Les césariens, même appuyés de l'Église, ne tiennent pas encore la France. La République échappe à leurs embûches. Un gouvernement de justice et de vérité se lève. Qu'il soit salué par ceux qui sont restés fidèles au noble idéal de la Révolution française[45] ! »

Mais les antidreyfusards se déchaînent. La haine se répand. Le gouvernement explose en pleine séance à l'Assemblée. Mis en minorité, il finit par démissionner. Le 29 octobre, la chambre criminelle de la Cour de cassation accepte la demande de révision assortie d'une enquête.

Le 24 novembre, Picquart, toujours incarcéré, est poursuivi et déclaré passible du conseil de guerre. Le 25 novembre, Clemenceau dénonce encore et encore : « Le crime est consommé. Le colonel Picquart est renvoyé devant un Conseil de guerre pour avoir dénoncé un traître et refusé de mentir, avec l'État-Major, pour maintenir un innocent au bagne[46]. » Son verbe est sans concession. Les traits, impitoyables.

Les antidreyfusards ne faiblissent pas pour autant. Le 10 février 1899, le nouveau gouvernement de Dupuy fait voter un projet de loi retirant à la chambre criminelle le pouvoir de décider de la révision pour l'attribuer à la formation des chambres réunies de la Cour de cassation ; cette dernière étant jugée plus favorable par les militaires. Clemenceau est révolté : « Il n'y a plus place, en France, pour la colère. Un seul sentiment survit, l'immense tristesse des choses qui s'en vont, la noble aspiration de justice qui fit la Révolution française, la religion du droit humain, la volonté généreuse d'adoucir la vie, de la pacifier, de la conduire par les chemins de la bonté, vers le but fuyant du bonheur[47] ! » Ce « coup d'État judiciaire » est un échec. Le 3 juin, les chambres réunies de la Cour de cassation prononcent la révision du procès et le renvoi de Dreyfus devant le conseil de guerre. Les dreyfusards ont gagné. La justice aussi. Et cependant, la France se trouve partagée, au bord de la guerre civile.

Les antidreyfusards vont également perdre un de leurs soutiens, le plus haut placé. Le président de la République, Félix Faure. L'épitaphe de Clemenceau est cinglante : « Félix Faure vient de mourir. Cela ne fait pas un homme de moins en France. » Clemenceau annonce qu'il votera pour Loubet. Au grand embarras de ce dernier, qui pense son élection ainsi compromise. Il semble porter les espoirs des dreyfusards. Il est finalement élu. À la grande fureur des antidreyfusards, qui organisent une manifestation en marchant sur l'Élysée. Déroulède, qui est à leur tête, est arrêté. Clemenceau met en garde : « Il n'est pas sans intérêt de constater que ce sont les prétendus "défenseurs de l'armée" qui la jugent capable de trahir son devoir, et lui proposent publiquement le pire attentat contre les lois et contre la patrie[48]. »

Les dreyfusards gagnent les manches les unes après les autres. Le 13 juin 1899, non-lieu pour Picquart et Leblois. Le 1er juillet, Dreyfus est de retour pour son nouveau procès. Il arrive de nuit. Le procès s'ouvre le 7 août. Le résultat est presque prévisible. Le 9 septembre, le conseil de guerre condamne à nouveau Dreyfus. En atténuant sa peine à dix ans et avec les circonstances atténuantes. Clemenceau s'interroge : « Un verdict avec circonstances atténuantes ? Est-ce vous, soldats, qui osez proclamer cette doctrine abominable qu'il y a des circonstances qui atténuent le crime de trahison ? Il n'y en a pas[49]. » Le lendemain, Dreyfus signe son pourvoi en cassation. Et Clemenceau d'enfoncer le clou : « Les circonstances atténuantes ne sont pas pour l'accusé, mais pour les juges qui se les ont votées à eux-mêmes[50] ! » Cette décision ne satisfait personne.

Le président du Conseil, Waldeck-Rousseau, propose que le président de la République utilise son droit de grâce. Consulté ainsi que Jaurès, Joseph Reinach et Mathieu Dreyfus, Clemenceau est contre. Il veut aller jusqu'au bout et innocenter Dreyfus. Mathieu Dreyfus est partagé, mais il sait que son frère ne supportera pas une détention plus longue : « Il souffrait à demander la grâce après tant d'efforts vers la justice, mais, s'il s'y fût refusé, il eût préféré son orgueil à son frère[51]. » Clemenceau, après avoir argumenté pendant plusieurs jours, finit par dire à Mathieu Dreyfus : « Si j'étais le frère, j'accepterais[52]. »

Le 19 septembre, le décret de grâce est signé par le président Loubet. Néanmoins, le pourvoi demeure. Clemenceau rappelle le sens du combat qu'il mène depuis cinq longues années déjà : « Je n'ignore pas qu'on va poursuivre la réhabilitation de Dreyfus devant la Cour de cassation. Nos juges civils finiront, après je ne sais quelle procédure, par mettre en morceaux la prétendue justice qui, par le mensonge des circonstances atténuantes, et par l'abaissement de deux degrés de la peine, s'est infligé à elle-même le plus éclatant démenti. Cela peut être excellent pour Dreyfus, et après l'expérience qu'il a faite des Conseils de guerre, il est excusable de chercher dans la justice civile une sécurité supérieure. Mais au-dessus de Dreyfus

— je l'ai dit dès le premier jour — il y a la France, dans l'intérêt de qui nous avons d'abord poursuivi la réparation du crime judiciaire. La France à qui les condamnations de 1894 et de 1899 ont fait plus de mal qu'à Dreyfus lui-même. La France qui ne peut vivre en dehors des conditions ordinaires de la vie civilisée. La France qui ne peut vivre sans l'idéal de justice et de charité humaine qui fut sien[53]. » Clemenceau refuse pour ces mêmes raisons de voter la loi d'amnistie du 14 décembre pour tous les faits relatifs à cette affaire.

Il n'y aura finalement pas de troisième procès. Le 12 juillet 1906, la Cour de cassation casse sans renvoi le jugement de Rennes. La « victime » Dreyfus est réhabilitée. Il réintègre l'armée. Le « héros » Picquart est nommé de son côté général de brigade. Il deviendra en 1906 le ministre de la Guerre de Clemenceau. En juin 1908, Zola entrera au Panthéon grâce à l'action de Clemenceau. Péguy écrit sur la transformation qu'a opérée l'Affaire sur ses plus farouches défenseurs, et au premier rang Clemenceau : « Il est certain que depuis le commencement de l'affaire Dreyfus, ou plutôt depuis qu'ils ont commencé l'affaire Dreyfus, le colonel Picquart, Zola, Clemenceau [...] tant d'autres, sont devenus des hommes nouveaux, non pas nouveaux en ce sens qu'ils seraient devenus différents de ce qu'ils étaient avant, mais nouveaux en ce sens que des parties entières de leur talent, de leur génie, de leur caractère, de leur âme, insoupçonnées jusqu'alors, et qui pouvaient rester insoupçonnées toujours, se sont soudain révélées avec un éclat incomparable[54]. »

Clemenceau s'était plus battu pour ses idéaux

que pour Dreyfus ; ce qu'il dira à ce dernier dans une lettre du 15 octobre 1899 : « Combattre pour vous c'était combattre pour la France. » Il confie son sentiment sur Dreyfus : « [Il] a été inférieur à l'affaire Dreyfus de je ne sais combien d'abîmes. C'est beaucoup mieux comme ça, d'ailleurs. On ne pourra pas nous reprocher de nous être laissé entraîner par son fluide. Il n'en avait pas pour deux sous. Pauvre Dreyfus[55] ! » Et de rappeler la force de ses convictions : « Rien à attendre du peuple, oublieux de son idéal, désenchanté de ses espérances. Rien à attendre de ses représentants occupés à se disputer les bénéfices du pouvoir. Rien à attendre que de la conscience humaine révoltée. Rien que de possible que l'insurrection de l'individu. Par son gant jeté à la face de toutes les puissances qui sont, Zola, superbement rebelle, a fait l'acte sauveur[56]. »

*

Pour une fois, Monet ne reste pas en dehors de la politique. Par trois fois, il écrit à Émile Zola pour le féliciter de son combat dans l'affaire Dreyfus. Il regrette de ne pouvoir le soutenir davantage : « Je suis de loin et avec passion cet ignoble procès. [...] Comme je voudrais y être. [...] J'admire de plus en plus Zola pour son courage[57]. » Monet signe également le « Manifeste des intellectuels », qui est publié le lendemain du « J'accuse… ! » dans *L'Aurore*. Sans doute était-ce le maximum de son engagement. Il écrit, en effet, quand on lui demande de faire partie de la Ligue des droits de l'homme : « J'ai signé la protestation de *L'Aurore*, j'ai directement écrit à mon ami Zola ce que je pensais de sa courageuse et belle conduite. Quant à faire partie d'un comité quelconque, ce n'est pas du tout mon affaire[58]. »

Enfin, geste fondateur d'une amitié qui s'approfondit, Monet offre à Clemenceau le *Bloc* de rocher de la Creuse « à titre d'admiration réciproque » pour son action « en faveur du droit et de la vérité[59] ». Ce *Bloc*, c'est un hommage au bloc de Clemenceau parlant de la Révolution française : « La Révolution française est un bloc, un bloc dont on ne peut rien distraire. » Mais Clemenceau tarde à répondre, quelque peu gêné : « Bien cher ami, Justement je n'avais pas répondu à votre affectueuse lettre parce que je ne savais que vous dire au sujet de ce merveilleux "Bloc" dont il vous plaît de m'écraser. Vos bonnes paroles étaient pour moi la plus belles des récompenses, car j'ai pu juger que l'homme était chez vous à la hauteur de l'artiste, et ce n'est pas peu dire. Je voulais que vous sachiez combien vous m'avez donné de joie. Je voulais vous embrasser et vous dire une fois de plus que je vous aime. Mais ce diable de "Bloc" était entre nous et me barrait le passage. Je ne pouvais pas accepter parce que c'est un présent de trop haut prix. Et voilà maintenant que, sans ma permission, vous me bombardez de ce merveilleux caillou de lumière. Je demeure stupide et ne sais plus que dire. Vous taillez des morceaux de l'azur pour les jeter à la tête des gens. Il n'y aurait de si bête que de vous dire merci. On ne remercie pas le rayon de soleil[60]. »

*

Alors que Monet s'épanouit à Giverny, Clemenceau a retrouvé l'énergie et l'envie après sa défaite électorale de 1892. Leur intransigeance, leurs convictions sont les traits communs de leurs personnalités. Deux êtres et deux caractères entiers que rien ne fait fléchir. Au cours des années 1890, ils se sont retrouvés. Ils sont amis, avant de se prendre pour frères dans les années à venir.

Chapitre V

LE TIGRE ET LE PEINTRE
(1902-1914)

« Tout ce que nous ferons pour
l'humble, pour le petit, pour le misérable, nous le ferons pour la France. »

GEORGES CLEMENCEAU

« Le courage, c'est d'aller tout droit
devant soi. On doit en souffrir, on
sera haï, détesté, méprisé, on recevra
de la boue, on n'aura pas d'applaudissements. Mais il faut savoir choisir
entre les applaudissements d'aujour-
d'hui, qui sont d'un certain prix, et
ceux qu'on se donne à soi-même
quand, avant de rentrer dans le néant,
on peut se dire : "J'ai donné à mon
pays tout ce que je pouvais." »

GEORGES CLEMENCEAU

Toute sa vie, Claude Monet a refusé les honneurs officiels. Aussi, en janvier 1900, quand l'État lui demande de participer à une exposition d'art français pour montrer au monde le génie de ses artistes dans le cadre de l'Exposition universelle, la réponse de Monet est claire : « N'ayant aucune raison de participer à une exposition officielle, je suis absolument décidé à refuser mon consentement. [...] Vous le savez aussi bien que nous, nous avons trop vécu en dehors de toute officialité pour nous prêter à cela, ce n'est pas notre place[1]. » Il n'a pas été réprouvé toute sa vie pour abandonner sa conscience à soixante ans. Malgré l'insistance de l'administration, Monet reste sur sa position et charge Paul Durand-Ruel de répondre à sa place. Il se moque de la reconnaissance officielle, à laquelle il a droit désormais. Peintre connu et reconnu. C'est pourquoi, en août, Monet se montre très critique à l'égard de Renoir qui a accepté d'être décoré : « J'en suis très attristé et Renoir le sent si bien qu'il m'écrit comme pour s'en excuser, le pauvre homme, et n'est-ce pas, en effet, bien triste de voir un homme de son talent, après avoir lutté tant d'années et être si vaillamment sorti de cette lutte malgré l'administration, accepter la décoration à l'âge de soixante ans ! Quelle triste chose que l'être humain ! C'eût été si chic de rester tous vierges de récompenses, mais qui sait ? Je serai peut-être le seul dans ce cas, à moins que je devienne tout à fait gâteux[2]. »

Il tient d'autant moins à perdre son temps qu'une nouvelle série va l'occuper : les vues de la Tamise à Londres. En février 1900, Monet retrouve Londres. Il s'installe au Savoy Hotel avec vue sur les ponts de Waterloo et de Charing Cross, ses modèles londoniens. Pendant ce séjour, il trouve un nouveau modèle : le Parlement. Il a obtenu l'autorisation du directeur du St. Thomas Hospital de pouvoir y peindre. L'hôpital est situé face au Parlement, de l'autre côté de la Tamise : « Par un superbe soleil couchant, dans la brume, je faisais mes débuts à l'hôpital. Si tu voyais comme c'est beau [...], il paraît qu'il faisait froid, je ne m'en suis pas aperçu étant dans l'enthousiasme du travail et du nouveau, mais que ce sera difficile[3]. » Monet use de la même technique désormais éprouvée. Il dispose de nombreuses toiles qui se succèdent au fur et à mesure que le soleil perce le brouillard. Les unes après les autres, les toiles suivent ce rythme. Monet ne cesse de peindre du matin au soir avec cette même fascination pour le brouillard : « Ce matin, au petit jour, il y eut un brouillard extraordinaire, tout à fait jaune ; j'en ai fait une impression pas mal, je crois : c'est toujours beau du reste, mais si changeant : aussi ai-je commencé beaucoup de toiles du pont de Waterloo et du Parlement ; j'ai aussi repris plusieurs toiles du premier voyage, des moins bonnes. C'est du reste [au Savoy Hotel] que je travaille le plus jusqu'à présent, n'allant à l'hôpital qu'à 4 heures du soir[4]. » Le travail intense de Monet est perturbé pendant quelques jours par Clemenceau et par Gustave Geffroy. Ils sont venus le voir à la fin de février. Mais ces derniers connaissent bien Monet. Ils le laissent travailler en paix et ne le voient qu'au moment des repas. Clemenceau est emballé par le travail de Monet. Et pour cause, Monet travaille à quarante-quatre toiles en même temps ! Et Geffroy de raconter : « Nous passâmes tous trois quelques jours à courir la ville, les musées, les expositions, les théâtres. Le peintre, toutefois, n'abandonnait pas son travail et lui consacrait les heures nécessaires. Nous le vîmes plusieurs fois installé au balcon de sa chambre qui dominait la Tamise, le pont de Charing Cross à sa droite, le pont de Waterloo à sa gauche. [...] Monet travaillait à ses vues de la Tamise. Il accumulait les touches, comme on peut le voir sur ses toiles : il les accumulait avec une sûreté prodigieuse, sachant exactement à quels phénomènes de lumière elles correspondaient. De temps en temps, il s'arrêtait. "Le soleil n'y est plus", disait-il. Devant nous, la Tamise roulait ses vagues, presque invisible, dans le brouillard. Un bateau passait comme un fantôme. Les ponts se devinaient dans l'espace, sur lesquels un mouvement presque imperceptible animait la brume opaque : des trains qui se croisaient sur Charing Cross, des omnibus qui défilaient sur Waterloo, des fumées qui déroulaient de vagues arabesques bientôt évanouies dans l'immensité épaisse et livide. Le spectacle était grandiose, solennel et morne, un abîme d'où venait une rumeur. On aurait cru que tout allait s'évanouir, disparaître dans une obscurité sans couleur. Tout à coup, Claude Monet ressaisissait sa palette et ses brosses. "Le soleil est revenu", disait-il. Il était à ce moment seul à le savoir. Nous avions beau regarder, nous n'apercevions toujours que l'espace ouaté de gris, quelques formes confuses, les ponts suspendus dans le vide, les fumées vite effacées, et quelques flots houleux de la Tamise, visibles proche de la berge. Nous nous appliquions alors à mieux voir, à pénétrer ce mystère, et, en effet, nous finissions par distinguer nous ne savions quelle lueur lointaine et mystérieuse, qui semblait faire effort pour pénétrer ce monde immobile. Peu à peu, les choses s'éclairaient d'une lueur, et c'était délicieux de voir, faiblement illuminé par une veilleuse stellaire, ce paysage grandiose qui livrait alors ses secrets[5]. » À la fin du mois de mars, ce sont quatre-vingts toiles que Monet rapporte à Giverny. Avec toujours la même insatisfaction : « Si au début, j'avais eu le bon esprit de toujours commencer au fur et à mesure que les effets changeaient, je serais plus avancé et, au lieu de cela, j'ai barboté, transformé des toiles qui m'ont donné du mal et ne sont à cause de cela que des ébauches. Il faut dire que ce climat est si particulier que j'ai vu de beaux effets depuis deux mois que, sans cesse, je regarde cette Tamise, c'est à n'y pas croire, et, en somme, avec du temps et énormément de toiles préparées, tous ces effets se retrouvent selon la saison[6]. » Monet quitte Londres pour Giverny avec ses quatre-vingts toiles et une certaine amertume. C'est avec le temps, si changeant, que Monet lutte. Il est déjà décidé à revenir. Le *frog* n'aura pas raison de lui.

À son retour, il est rattrapé par l'exposition officielle de l'art français à laquelle Pissarro a fini par céder ; entraînant la participation des autres. Une salle leur est dédiée. Bien qu'extrêmement réticent, Monet finit par accepter. Quatorze de ses toiles sont exposées. Mais l'académisme veille et quand le président de la République, Émile Loubet, se présente à l'entrée des salles, le secrétaire perpétuel de l'Académie des beaux-arts lui barre le chemin en écartant les bras : « Arrêtez, Monsieur le Président, c'est ici le déshonneur de la France[7]. »

Monet n'en a cure. À Giverny, il est tout à ses toiles qu'il a rapportées de son séjour londonien. Seul événement de cette année 1900 : une blessure à l'œil lors d'un jeu avec les enfants. Que deviendrait Monet sans son œil ?... Dès janvier 1901, Monet repart pour Londres avec toiles et pinceaux. Fin janvier, il assiste aux funérailles de la reine Victoria, occasion pour lui de regarder en spectateur le faste de ces obsèques. Séjour finalement peu productif. Il est cloué au lit par une pleurésie pendant trois semaines et il est préoccupé par sa femme, Alice, qui broie du noir depuis le décès de sa fille, Suzanne, en février 1899.

De retour à Giverny, deux choses vont l'occuper particulièrement : une Panhard et son jardin.

En effet, pendant son séjour à Londres, une automobile de marque Panhard a été livrée à Giverny pour Monet. Ce qui est encore rare à l'époque. Il multiplie alors les excursions en voiture pour son plus grand plaisir et celui de sa famille : « Délicieuses promenades de chaque jour qui m'ont laissé d'heureux souvenirs [...]. Monet était alors en plein succès et semblait lui-même jouir, non seulement de celui-ci, mais également et pleinement de l'aisance définitive lui permettant de réaliser toutes ses fantaisies en sa maison et ses jardins. Seule, ma mère, restée inconsolable de la mort de sa fille Suzanne, bien qu'usant d'une volonté incroyable pour masquer sa douleur, n'était pas à l'unisson[8]. »

Autre sujet : son jardin. Monet l'agrandit. Il achète une nouvelle prairie, qui longe le Ru, petit bras de la rivière de l'Epte ; ce qui lui permet d'agrandir son bassin et de modifier encore son jardin, qui devient de plus en plus son modèle favori. Il est l'objet de toutes ses attentions et Monet le suit jour après jour. Il est d'ailleurs abonné à de nombreuses revues horticoles et possède dans sa bibliothèque des livres importants et volumineux sur l'horticulture. Ses correspondances, notamment avec Clemenceau, sont aussi des lettres de conseils jardiniers. Il suit ses fleurs comme des enfants. Ce jardin qui est en train de devenir son modèle unique.

Pendant l'été 1901, grâce à son automobile, Monet retrouve le petit village de Vétheuil. Il y peint une quinzaine de toiles, qui seront exposées en février 1902 par les Bernheim, venus agrandir son cercle de marchands. Car Monet garde le sens des affaires en augmentant le prix de ses tableaux. Il va jusqu'à dire à Paul Durand-Ruel pour se justifier : « Et vous devez me connaître assez pour savoir que je ne suis pas un homme d'argent, n'est-ce pas[9] ? » Le mot a dû faire grincer Paul Durand-Ruel. Mais Monet n'a pas tort. C'est surtout un homme de dépenses.

L'année 1902 a été particulièrement calme. Aucune vente enregistrée. Quelques toiles peintes. C'est pourquoi Monet semble quelque peu déprimé en janvier 1903 : « Hélas ! Le travail ne va pas du tout et j'en suis bien attristé. Le doute et le découragement se sont emparés de moi. J'avais cru arriver à faire quelque chose de bien, et voilà que je trouve ce que j'ai fait si peu de chose, et qu'il me faudrait tant progresser que la force me manque. Je vois tout en noir et tout me dégoûte[10]. » Monet est tout à sa série sur ses *Vues de Londres*. Au début de l'année 1903, Durand-Ruel propose à Monet de faire en mai une exposition de ses toiles de Londres. Monet se remet donc au travail avec les mêmes déceptions et insatisfactions : « Je ne peux pas vous envoyer une seule toile de Londres, parce que, pour faire le travail que je fais, il m'est indispensable de les avoir toutes sous les yeux, et qu'à vrai dire pas une seule n'est définitivement terminée. Je les mène toutes ensemble ou du moins un certain nombre et je ne sais pas encore combien j'en pourrai exposer, car ce que je fais est du plus délicat. Un jour je suis satisfait et le lendemain je vois tout mauvais, mais enfin, il y en aura toujours quelques-unes de bien[11]. » En réalité, rien n'est moins sûr. Monet semble s'enfermer dans sa peinture sans jamais en ressortir. Surtout, il commence à détruire ses toiles. Ce qui effraie ses amis : « Mon tort a été de vouloir les retoucher : on a si vite perdu une bonne impression, je le regrette bien, car cela me rend malade, car cela prouve mon impuissance. […] Il me faut aller jusqu'au bout coûte que coûte, mais dans quel état d'énervement et de découragement je me trouve, vous ne pouvez pas l'imaginer[12] ! » Après plus de deux mois de travail, Monet abandonne. Il range ses toiles de Londres. Ne veut plus en entendre parler. Et écrit à Durand-Ruel : « Je suis à bout de forces et plus dégoûté que jamais bien que travaillant toujours. [...] Mais pour l'instant le principal est de ne plus m'acharner à ces toiles de Londres auxquelles je ne voudrais plus penser[13]. »

La patience de Durand-Ruel finit néanmoins par payer. Après s'être remis à ses toiles de Londres au printemps 1904, Monet accepte une exposition en mai de la même année. Toutes les toiles de la série des *Vues de Londres*. Trente-six tableaux formant un bloc. C'est comme tel que Monet veut les présenter ; et c'est pourquoi il refuse une expédition partielle à Durand-Ruel pour qu'il les découvre. Il les verra d'un coup ou pas. L'exposition se déroule en mai 1904. Le catalogue est préfacé par Octave Mirbeau : « Un thème unique à ces toiles, unique et pourtant différent : la Tamise. Des fumées et du brouillard ; des formes, des masses architecturales, des perspectives, toute une ville sourde et grondante, dans le brouillard, brouillard elle-même ; la lutte de la lumière, et toutes les phases de cette lutte ; le soleil captif des brumes, ou bien perçant, en rayons décomposés, la profondeur colorée, irradiante, grouillante de l'atmosphère ; le drame multiple, infiniment, changeant et nuancé, sombre et féerique, angoissant, délicieux, fleuri, terrible, des reflets sur les eaux de la Tamise ; du cauchemar, du rêve, du mystère, de l'incendie, de la fournaise, du chaos, des jardins flottants, de l'invisible, de l'irréel [...][14]. » L'exposition est un réel succès ; la presse est élogieuse et l'ensemble des toiles est vendu. Mais Monet n'en a pas fini avec ses toiles de Londres. Il souhaite aussi les exposer à Londres. Seules encore. C'est pourquoi il demande à Durand-Ruel de ne pas exposer la série des *Vues de Londres* lors d'une grande exposition consacrée à Boudin, Manet, Pissarro, Cézanne, Renoir, Degas, Morisot, Sisley et Monet que Paul Durand-Ruel réalise en janvier 1905 à Londres. Plus de trois cents toiles sont réunies.

*

En 1898, Clemenceau n'avait pas cédé à l'amicale pression de ses amis venus du Var pour qu'il se représente comme député. L'affaire Dreyfus n'était pas encore terminée. Il tenait à son journal *Le Bloc*. Sans doute aussi à sa liberté, sans oublier le goût amer de la défaite passée. En revanche, en 1902, Clemenceau finit par céder à son frère, à son éditeur et à ses amis ; et ce, malgré un premier refus signifié à la délégation menée par le maire de Draguignan, Félicien Clavier, venu lui proposer de se présenter au fauteuil de sénateur du Var. Or Clemenceau a longtemps milité pour la suppression du Sénat : « Pendant une partie de ma vie, plus près de la théorie que de la réalité, j'ai eu foi en la Chambre unique, émanation directe du sentiment populaire. Je croyais le peuple toujours raisonnable. J'en suis revenu. Les événements m'ont appris qu'il fallait laisser au peuple le temps de la réflexion : le temps de la réflexion, c'est le Sénat. Aussi, ancien adversaire du Sénat, suis-je aujourd'hui sénateur pour ma punition[15]. » Et même si, comme il aime à le dire, « il n'y a que les imbéciles qui ne changent pas d'avis », son premier refus est motivé par cette raison. Il le déclare à cette délégation d'élus du Var : « Toutes les fautes se paient. Or, j'en ai commis une dans ma jeunesse. Un jour, j'ai déposé sur le bureau de la Chambre des Députés une proposition de suppression du Sénat. Je me crois lié par ce geste, malgré le jugement que je peux porter aujourd'hui, et je ne veux pas devenir sénateur. »

Finalement, Clemenceau cède. Il est temps d'agir. Il a soixante ans. Il n'a jamais été ministre ou président du Conseil. Son journal est sans cesse sur la brèche. Et ses finances aussi. Autre facteur non négligeable : le général Mercier, l'homme de l'état-major antidreyfusard, vient d'être élu sénateur de la Loire inférieure.

Il accepte de se présenter. Il l'annonce dans *Le Bloc*. Jean Jaurès salue ce retour dans *La petite République* du 14 mars 1902 : « C'est une joie pour tous les républicains, pour tous les démocrates, de voir rentrer dans l'action immédiate l'homme qui, assailli par tant de haines, avait opposé à l'orage une fermeté invincible et un infatigable labeur, et avait sans cesse agrandi son idéal de justice sociale. […] Clemenceau rendra un service immense au pays si, avec la force de sa parole, et avec la puissance des idées générales dont son esprit est nourri, il met la majorité républicaine du Sénat en face de sa responsabilité politique et sociale[16]. »

Le 6 avril, Clemenceau est élu au premier tour avec plus de 80 % des voix. Au Sénat, il occupe le siège de Victor Hugo. Un mois plus tard, le « Bloc des gauches » gagne également les élections législatives. Le président du Conseil, Pierre Waldeck-Rousseau, qui vient de présider le plus long gouvernement de la IIIe République pendant trois années, laisse la place à Émile Combes, qui restera à ce poste jusqu'au 17 janvier 1905.

Deux questions vont dominer l'actualité parlementaire : l'autonomie des congrégations religieuses, notamment en matière d'enseignement, et la séparation de l'Église et de l'État. Ancien séminariste, Combes a une revanche à prendre sur l'Église. Il sera intraitable.

De son côté, Clemenceau a changé. À la fougue de ses premières années de parlementaire succède l'assurance tranquille d'un vieux républicain. Il intervient peu au Sénat ; et uniquement pour défendre les grands principes républicains. Par ailleurs, à partir de juin 1903, il devient le rédacteur en chef de *L'Aurore*, qui lui ouvre aussi une autre tribune. Six mois seulement après son élection, le 30 octobre 1902, Clemenceau prend pour la première fois la parole au Sénat sur le problème des congrégations. Il rappelle, le 17 novembre 1903, son attachement à la liberté d'enseignement : « Je repousse l'omnipotence de l'État laïc parce que j'y vois une tyrannie. [...] L'État, je le connais, il a une longue histoire, toute de meurtre et de sang. Tous les crimes qui se sont accomplis dans le monde, les massacres, les guerres, les manquements à la foi jurée, les bûchers, les supplices, les tortures, tout a été justifié par l'intérêt de l'État, par la raison de l'État. [...] S'il devait y avoir un conflit entre la République et la liberté, c'est la République qui aurait tort et c'est à la liberté que je donnerais raison. » Adversaire déclaré de l'Église romaine, Clemenceau n'en demeure pas moins le défenseur de la liberté d'enseignement et d'un idéalisme républicain exigeant.

L'autre question qui agite les esprits à cette époque est celle de la séparation de l'Église et de l'État, que Combes ne cesse d'ajourner ; ce qui agace encore plus Clemenceau, dont la politique tient en un mot : « Divorçons. » Or, en juillet 1904, c'est la rupture des relations diplomatiques entre la France et le Vatican. Dans ce contexte, le Concordat reste difficilement tenable. Pourtant, le projet est encore repoussé. Le ministère Combes chute sur l'affaire des fiches : le général André, ministre de la Guerre, a organisé un système de renseignements sur les officiers supérieurs et généraux avec la complicité des loges maçonniques pour promouvoir les officiers républicains et ralentir la carrière des autres. L'affaire fait scandale à l'automne 1904. Le ministre de la Guerre finit par démissionner. Clemenceau trouve le procédé scandaleux : « jésuitisme retourné ». Finalement, la séparation de l'Église et de l'État est votée en 1905 sous le gouvernement de Maurice Rouvier.

En 1905, outre le vote de la séparation de l'Église et de l'État, la préoccupation majeure est la tension avec l'Allemagne après le « discours de Tanger » du Kaiser Guillaume II du 31 mars, dans lequel il déclare que le Maroc doit rester un État « libre et indépendant ». Et Clemenceau de commenter, cruellement ironique, dans *L'Aurore* : « Les politiques républicains, trouvant plus aisé de remporter des victoires sur les populations désarmées de l'Afrique et de l'Asie que de s'adonner à l'immense labeur de la réformation française, envoyaient nos armées à des gloires lointaines, pour effacer Metz et Sedan, trop prochains. Une effroyable dépense d'hommes et d'argent, chez une nation saignée à blanc, où la natalité baissait. Cela, sans autre résultat possible que l'affaiblissement de la patrie. [...] Le cycle est accompli. Partis de France dans l'illusion qu'à la condition de tourner le dos aux Vosges, le monde s'ouvrait à nous, nous rencontrons l'homme de l'autre côté des Vosges devant nous à Tanger. Dure leçon, dont par bonheur, il n'est pas trop tard pour profiter[17]! » Après quelques rebondissements, les tensions retombent. En janvier 1906, à la conférence d'Algésiras, la France finira par tout obtenir. L'Allemagne, rien. La France conserve son autorité sur le Maroc et l'Entente cordiale avec l'Angleterre est renforcée.

Mais cet épisode ne rassure pas Clemenceau. Au contraire, il est plus pessimiste que jamais. Pour lui, la guerre est inévitable et la France n'y est pas prête. Le 18 juin 1905, il pose la question dans *L'Aurore* : « Être ou ne pas être, voilà le problème qui nous est posé pour la première fois depuis la guerre de Cent Ans, par une implacable volonté de suprématie. Cela, nous nous devons à nous-mêmes, nous devons à nos pères, à nos enfants de le tenir pour toujours présent à notre vue et de tout épuiser de ce qui est honorable pour garder le trésor de vie et de pensée française que nous avons reçu de ceux qui furent et dont nous devons compte à ceux qui seront[18]. »

*

À Giverny, Monet peint. Son motif est à portée de pinceaux : son jardin et son bassin. Il est seulement interrompu par les visites de ses amis et par ses virées automobiles, qui lui valent une contravention et une convocation devant la justice. Explications qui n'ont guère changé depuis un siècle : « Je suis tout à fait hostile aux grandes vitesses et depuis quatre ans que je fais de l'automobile, je me glorifiais de n'avoir jamais encouru de contravention, et j'ai à cœur de m'en expliquer devant vous[19]. » Autre interruption : un voyage à Madrid avec sa femme, Alice, et son fils Michel. Monet n'y peint pas, mais éprouve un réel bouleversement pendant sa visite du musée du Prado : « Dans un seul musée, j'ai eu l'impression joyeuse de la peinture fraîche, de la peinture vive, chaude encore de la main créatrice : à Madrid. Le Prado ! Quel musée ! Le plus beau de ceux que je connais ! Quand je me suis retrouvé dans ces salles, au milieu des Titien, des Rubens, des Velázquez, des Tintoret qu'on dirait faits d'hier, qui éclatent de force, de lumière, de couleur, l'émotion m'a empoigné au cœur, à la gorge, et j'ai pleuré, pleuré sans pouvoir me contenir[20]... »

Monet est également beaucoup sollicité. Non seulement pour les expositions à l'étranger, comme au Japon, mais aussi par les journalistes, par des amateurs, par des Américains, par des musées. Pas les musées français, qui restent encore très réticents à son œuvre, mais les musées étrangers, notamment le musée de Brême. Ces sollicitations flattent Monet ; même si elles le perturbent dans son travail.

Monet trouve néanmoins du temps pour les amis. Il s'occupe ainsi d'une exposition consacrée à Camille Pissarro. Son vieil ami est mort le 13 novembre 1903 à Paris. Il aide sa femme et son fils à monter cette exposition. Elle se tient aussi en mai 1904. Soixante-dix-huit toiles, dessins et gravures de Pissarro depuis ses débuts en 1864. Monet donne ses conseils tout au long de la préparation. Il donne même ses instructions pour l'accrochage.

Après Bazille, après Manet, après Morisot, après Sisley, après Pissarro, c'est Cézanne qui disparaît, le 23 octobre 1905. Monet se rend naturellement à ses obsèques à Aix-en-Provence. Le cercle des impressionnistes se réduit d'année en année. Monet y pense. Et commence à faire le tri : « Je dois veiller à ma réputation artistique tant que je peux encore le faire [...]. Après ma mort, personne ne détruira plus aucune de mes œuvres, pas même les mauvaises[21]. »

Monet reste aussi le gardien du temple. Il s'assure que les collections dans lesquelles figurent ses tableaux, mais également ceux de ses amis impressionnistes morts, soient assurées d'entrer dans les musées ou que leur cote dans les ventes soit soutenue. Il n'oublie pas Manet. Alors que l'État s'était engagé à faire entrer *Olympia* au Louvre après dix ans, selon les règles en vigueur, soit en 1903, Monet constate qu'en 1907 tel n'est toujours pas le cas. Clemenceau est président du Conseil. Monet lui rend visite : « Étant à Paris l'autre jour, j'eus l'idée d'aller trouver Clemenceau et de lui dire qu'il était de son devoir de faire cela. Il l'a compris et en trois jours [...] la chose a été faite, et combien je suis heureux et pour ma satisfaction et pour les donateurs de ce chef-d'œuvre dont j'étais le représentant[22]. » Il écrit une lettre de remerciement à Clemenceau : « Je vous ai télégraphié ce matin pour vous exprimer ma joie, mais je tiens à ce que vous sachiez toute ma reconnaissance pour ce que vous venez de faire pour Manet[23]. »

Autre souci de Monet avec la reconnaissance de ses œuvres : de faux Monet circulent. À Durand-Ruel : « Ce sont deux épouvantables croûtes [...] je les aurais bel et bien crevées, ce qui était mon droit : et j'entends bien qu'après le procès que doit faire votre client et le faussaire puni, les deux tableaux soient détruits en présence de témoins ou qu'ils me soient renvoyés[24]. »

L'année 1907 est surtout l'année du début réel du cycle des *Nymphéas*. Fin 1900, Monet avait exposé une dizaine de versions du *Bassin aux nymphéas* à la galerie Durand-Ruel sans y revenir ensuite. Tandis que, curieusement, il s'est attardé à réaliser en février des natures mortes, il recommence au printemps 1907 à peindre des nymphéas en série. Paul Durand-Ruel le sollicite à nouveau pour une exposition, mais Monet répond qu'il n'est pas encore prêt. S'il peint beaucoup, il détruit aussi beaucoup de toiles, qui ne le satisfont pas. Il est en quête : « Ce sont toujours des tâtonnements et des recherches, mais je crois qu'il y a du mieux[25]. » Pourtant, au printemps 1908, Durand-Ruel se rend à Giverny dans l'atelier de Monet. Et pour la première fois en quarante ans, il est décontenancé par les toiles de Monet. À tel point qu'il lui confie son trouble et renonce à acheter les toiles promises. Monet est ennuyé de ce refus ; non qu'il doute de sa peinture, mais il aimerait être fixé sur les achats. En définitive, après quelques semaines de négociations, Durand-Ruel accepte d'acquérir seize toiles et de monter une exposition en mai 1908. Mais c'est Monet qui finit par abandonner le projet d'exposition. Il ne se sent pas encore prêt. Bien que libéré de la contrainte de l'exposition, il continue de travailler. Il passe l'été à peindre. Non sans difficulté. Il ressent des vertiges et a certains troubles de la vue : « Sachez que je suis absorbé par le travail. Ces paysages d'eau et de reflets sont devenus une obsession. C'est au-delà de mes forces de vieillard et je veux cependant arriver à rendre ce que je ressens. J'en ai détruit… J'en recommence… et j'espère que de tant d'efforts, il sortira quelque chose[26]. »

Finalement, l'exposition a lieu en mai 1909. Monet précise à Durand-Ruel que le titre de l'exposition ne sera pas « *Les reflets* », mais bien « *Les Nymphéas, séries de paysages d'eau* ». Quarante-huit toiles sont présentées, de 1903 à 1908. Le succès est au rendez-vous. Les critiques, élogieuses, et même dithyrambiques. Pourtant, en cette année 1909, Monet reste plus que jamais sur sa faim : « Cette année 1909 m'a été absolument funeste et vous vous en rendrez compte quand vous saurez que depuis […] une année, je n'ai rien fait, pas touché un pinceau. Le dérangement de mon exposition des *Nymphéas*, le mauvais temps tout l'été et le pire, ma santé très troublée ; triste bilan […], sans compter la tristesse et les petites misères qui s'accumulent avec l'âge, soit un découragement général[27]. »

*

Le gouvernement Rouvier tombe en mars 1906. Le président de la République, Armand Fallières, appelle Ferdinand Sarrien, radical, à former le nouveau gouvernement. Sarrien réunit dans son appartement ceux qui sont pressentis pour en faire partie, dont Clemenceau. Alors que Sarrien propose à ses hôtes des rafraîchissements et demande à Clemenceau ce qu'il prend, ce dernier répond : « L'Intérieur » ! À la grande surprise de Sarrien, qui comptait sur ce poste. Il se contentera de la Justice. En réalité, Clemenceau est présent à la demande d'Aristide Briand, que Sarrien a désigné pour le poste de ministre de l'Instruction publique et des Cultes pour faire appliquer la loi de 1905 sur la séparation de l'Église et de l'État. Or Aristide Briand préfère que Clemenceau soit au gouvernement plutôt que sur les bancs du Sénat à l'attaquer.

Le 13 mars, Clemenceau est donc ministre pour la première fois de sa vie à soixante-cinq ans. Ministre de l'Intérieur. Six mois plus tard, il est président du Conseil. Le 19 octobre, Ferdinand Sarrien, malade, démissionne et conseille à Armand Fallières d'appeler Clemenceau. Le 21 octobre, Clemenceau devient président du Conseil. Il conserve le ministère de l'Intérieur.

Anatole France, dans *L'Humanité* du 31 octobre 1906, dresse le portrait de Clemenceau : « D'esprit, il est souple et divers ; de caractère, il est vif et cassant. Je ne le fâcherai pas en disant qu'il y a des choses qu'il préfère au pouvoir. Il a le sens de l'action et l'on peut dire que, pour lui, vivre, c'est agir. Mais en même temps, il est philosophe et plus tendu vers l'action intellectuelle qu'il ne convient à un chef de gouvernement. Il a montré ses tendances philosophiques quand, ministre de l'Intérieur, il était déjà tout le ministère avant d'en être le chef. Alors, il a opposé aux socialistes les doctrines d'un agnosticisme social sans doute grave et mélancolique, mais étranger à coup sûr, à tous les chefs de cabinet qui se sont succédé en France depuis le régime parlementaire. [...] Il est hors pair pour le talent et pour l'énergie. Ce n'est pas cela qui fait durer les chefs de gouvernement. Bien qu'il n'ait jamais varié dans ses doctrines et qu'il soit aujourd'hui comme en 1870 républicain libéral et patriote, il surprend, par l'imprévu de ses idées. Immuable dans ses principes, il se montre, dans leur application, d'une agilité déconcertante. L'unité profonde de son esprit est pleine de contrastes apparents. Libéral de naissance [...], il est de caractère et d'esprit homme d'autorité. Il est révolutionnaire et exècre la démagogie ; humain, généreux, sensible, il est en même temps impitoyable et farouche. [...] Il est terrible et charmant. Il attire et effare. C'est le plus nerveux orateur de son temps ; il possède l'art d'écrire. Il est occupé d'idées et pourtant il n'épargne pas assez les personnes dans ses polémiques[28]. »

Le premier acte du nouveau président du Conseil est de nommer l'ex-colonel Picquart, devenu général, ministre de la Guerre ; lui, le bouc émissaire des antidreyfusards. Autre acte fort de Clemenceau : la création du ministère du Travail et de la Prévoyance sociale. Il est confié à un socialiste indépendant : René Viviani. Clemenceau s'entoure également dans son gouvernement de Joseph Caillaux aux Finances, de Stephen Pichon aux Affaires étrangères, d'Aristide Briand à l'Instruction publique et aux Cultes, de Gaston Doumergue au Commerce, de Barthou aux Travaux publics. Clemenceau garde son caractère. Orgueilleux et volontaire. Dur avec ses ennemis et les incapables. De plus en plus autoritaire et inflexible. Il entend que le pays soit gouverné et il entend bien le gouverner.

Premier problème que Clemenceau doit régler, celui des inventaires des biens de l'Église. En effet, face aux affrontements violents devant les portes des églises, les officiers refusent d'obéir et démissionnent. Clemenceau prend des mesures d'apaisement. Le 16 mars 1906, il adresse aux préfets une circulaire confidentielle enjoignant de suspendre les inventaires quand l'emploi de la force est nécessaire. Le 20 mars, Clemenceau déclare au Sénat : « Nous trouvons que la question de savoir si l'on comptera ou ne comptera pas des chandeliers dans une église ne vaut pas une vie humaine[29]. » Très rapidement, les tensions s'apaisent et les inventaires ne posent plus problème. Clemenceau demeure ferme néanmoins et n'hésite pas à expulser le secrétaire du nonce à Paris, Mgr Montagnini ; ce dernier attisant les manifestations d'hostilité.

Autre difficulté que doit résoudre Clemenceau : la modernisation de la police. Et ce, grâce à Célestin Hennion, qu'il nomme directeur de la Sûreté générale le 30 janvier 1907. À ce poste, Hennion, qui n'est pas préfet, contrairement aux usages, va réformer la police pour en faire une police moderne. Il crée ainsi le Contrôle général des Services de recherches judiciaires, qui deviendra la Police judiciaire. Il restructure la police des mœurs en créant la Brigade mondaine, celle de la Surveillance des courses et des jeux. Il crée aussi un service des archives, le Fichier de la police criminelle et l'Identité judiciaire. Enfin, il met en place un service des voyages officiels chargé d'assurer la sécurité des ministres et hôtes étrangers, dont celle de Clemenceau.

Lors de son discours d'investiture, Clemenceau présente un ambitieux programme social : vote rapide de la retraite ouvrière, journée de dix heures, loi sur les contrats collectifs de travail, extension de la capacité des syndicats, rachat de la Compagnie des chemins de fer de l'Ouest, possibilité de rachat des compagnies minières, liberté d'association professionnelle pour les syndicats. Pourtant, pendant ces trois années de gouvernement, Georges Clemenceau a un adversaire de taille : Jean Jaurès. Leur affrontement à la Chambre est continu. Tout les oppose. Leurs conceptions politiques et leurs styles d'orateur.

Alors que Clemenceau n'est encore que ministre de l'Intérieur, ils s'opposent déjà à la Chambre pendant deux jours de débat, les 13 et 14 juin 1906 pour l'attaque de Jaurès, et les 18 et 19 juin pour la réplique de Clemenceau. À la tribune de la Chambre, Jaurès est « ample, pesant, massif. Son éloquence est lyrique [...], elle s'étale en périodes vastes, abondantes, puissantes, à l'essor desquelles il faut de spacieux amphithéâtres[30] ». De son côté, Clemenceau « n'y monte pas, il s'y élance ; la taille est svelte, le pas allègre. Il parle. Il a soixante-six ans, et la voix a conservé une étonnante jeunesse. Souples, rapides, nerveux, ironiques, gouailleurs, les mots jaillissent à l'emporte-pièce[31] ».

Au-delà des mots, ce sont surtout deux visions différentes. Celle du radicalisme et celle du socialisme. L'individu et le groupe. Le réformisme social et la révolution socialiste. La propriété individuelle et la propriété collective des moyens de production. Un débat qui a structuré et qui structure encore les débats de la gauche française. Jaurès l'affirme : « Une société où les moyens de travail, la terre, les usines, les mines, les chantiers, seraient possédés, non pas par une minorité de capitalistes dirigeants, mais par la totalité des producteurs eux-mêmes, groupés et fédérés, est-ce que cette société ne serait pas meilleure, plus juste, plus humaine[32] ? » Clemenceau n'en est pas convaincu : « C'est notre idéal à nous, magnifier l'homme, la réalité plutôt que le rêve, tandis que vous vous enfermez, et tout l'homme avec vous, dans l'étroit domaine d'un absolutisme collectif anonyme. Nous mettons notre idéal dans la beauté de l'individualisme, dans la splendeur de l'épanouissement de l'individu au sein d'une société qui ne le règle que pour le mieux développer[33]. » Et Jaurès de lui répondre : « Votre doctrine de l'individualisme absolu, votre doctrine qui prétend que la réforme morale des individus, c'est, laissez-moi vous le dire, la négation de tous les vastes moments de progrès qui ont déterminé l'Histoire, c'est la négation de la Révolution française elle-même[34]. » Clemenceau souligne l'irréductibilité de leur opposition : « La Révolution française n'a jamais rien voulu de ce que vous voulez : elle a voulu directement le contraire. Elle a fait les Droits de l'homme, elle a proclamé la liberté, la souveraineté de l'individu. [...] Et vous, mal émancipés jusque dans la révolte, vous recherchez le retour à l'unité dogmatique, au moment même où elle fait banqueroute. » Et Clemenceau de rappeler l'homme de gouvernement qu'il est : « M. Jaurès parle de très haut, absorbé dans son fastueux mirage ; mais moi, dans la plaine, je laboure un sol ingrat qui me refuse la moisson. [...] Sans doute, vous me dominez de toute la hauteur de vos conceptions socialistes. Vous avez le pouvoir magique d'évoquer de votre baguette des palais de féerie. Moi, je suis le modeste ouvrier des cathédrales, qui apporte obscurément sa pierre à l'édifice auguste qu'il ne verra jamais. Au premier souffle de la réalité, le palais de féerie s'envole, tandis qu'un jour la cathédrale républicaine lancera sa flèche dans les cieux[35]. » Leurs affrontements, non dénués de respect réciproque, durent tout au long du ministère Clemenceau. Ils ne s'arrêteront qu'avec la mort tragique de Jaurès, en 1914.

Clemenceau est au gouvernement au moment même où les mouvements sociaux deviennent de plus en plus nombreux. En raison d'une réelle prospérité économique mal redistribuée, les ouvriers et les salariés réclament légitimement leur part de cette réussite économique. À ce contexte économique s'ajoute un contexte syndical. Les syndicats s'organisent de plus en plus, le nombre des syndiqués augmente. Sans négliger la force de l'école et de la formation des ouvriers menés par les syndicats. Cette conjonction éclate lors du gouvernement Clemenceau. Alors que ce dernier est sans conteste un véritable réformateur social, il est dépassé par les socialistes et les syndicalistes qui se radicalisent de plus en plus, notamment avec le fameux congrès d'Amiens en octobre 1906, qui marque la rupture entre le Parti socialiste et les syndicats, dont la Confédération générale du travail (CGT). Rupture qui empêcha le syndicalisme français d'être réformiste, choisissant l'action radicale et violente.

Et c'est cette violence que Clemenceau doit gérer. Trois jours après sa nomination, il se rend à Lens en tant que ministre de l'Intérieur, contre l'avis du président du Conseil, Ferdinand Sarrien. Quelques jours plus tôt, le 10 mars 1906, un grave accident s'y est produit, qui a entraîné la mort de 1 100 mineurs. La situation est tendue, voire explosive. La grève s'est installée. Le 17 mars, Clemenceau se rend donc sur place pour tenter de trouver une solution amiable : « Je ne suis pas venu me mêler à votre réunion. Je suis venu simplement, en représentant du Gouvernement de la République, vous dire que la grève constitue pour vous un droit absolu, qui ne saurait être contesté. Mais j'ajoute que, dans une République, la loi doit être respectée par tous. Donc, soyez calmes ! Vous n'avez pas vu de soldats dans la rue ; vous n'en verrez pas si vous respectez les personnes et les propriétés. C'est la première fois qu'un gouvernement n'envoie pas de soldats dans une grève. Montrez-vous dignes de cette mesure, prouvez à la France entière que vous êtes dignes de la confiance que nous plaçons en vous et de la liberté que vous revendiquez[36]. » Clemenceau y reste trois jours. Mais il échoue. Il doit donc se résoudre à envoyer la troupe, qui rétablit l'ordre. Bilan : un lieutenant tué.

Cet événement transforme Clemenceau : il devient le briseur de grèves. En effet, si les demandes des syndicats apparaissent légitimes (journée de huit heures, augmentations de salaires, retraites, sécurité au travail...), les méthodes d'action le sont beaucoup moins. La CGT appelant ouvertement à l'action directe et aux sabotages. Clemenceau réalise le fossé qui les sépare désormais.

Les mouvements sociaux violents ne s'arrêtent pas pour autant. Les grèves se multiplient et les violences aussi. Les événements révolutionnaires de 1905 en Russie exaltent un certain nombre de syndicalistes. Pourtant, l'attitude de Clemenceau est la fermeté ; ce qu'il résume à Griffuelhes, le secrétaire de la CGT : « Votre moyen d'action, c'est le désordre. Mon devoir, c'est de faire l'ordre. » Après les événements de mars 1906 dans le Pas-de-Calais, le 1er mai fait figure de journée qui pourrait déclencher l'agitation révolutionnaire. Clemenceau concentre 45 000 militaires et fait arrêter Griffuelhes et quelques autres militants. Les grèves deviennent plus longues, plus nombreuses et avec des groupes plus petits, signes de la montée des revendications dans toutes les entreprises. En 1907, une grève des ouvriers électriciens plonge Paris dans le noir avant une grève générale de l'alimentation, à l'exception des ouvriers boulangers. La province n'est pas en reste. Nantes est paralysée par une grève des dockers et Grenoble par les métallurgistes, sans oublier les ouvriers de la chaussure à Fougères.

En 1907, à ces grèves ouvrières s'ajoute la crise que traverse le Midi viticole en raison d'une surproduction due à des fraudes sur le vin qui fait chuter les prix. De Perpignan à Montpellier, la région s'embrase. La troupe, recrutée parmi les enfants du pays, refuse d'obéir. La grève de l'impôt et la démission des municipalités des quatre départements du Sud sont décidées. Une loi contre la fraude des vins est votée, tandis que la police recherche le meneur de cette révolte viticole, Marcelin Albert. En vain. Finalement, ce dernier se présente tout simplement au ministère de l'Intérieur pour voir Clemenceau, qui le reçoit. Après lui avoir fait la leçon, il laisse repartir Marcelin Albert en lui donnant 100 francs pour son retour. La rumeur affirme qu'il a été acheté. Le calme revient et les soldats, qui avaient refusé d'obéir, sont envoyés en Tunisie.

En 1908, la violence et la répression des grèves ouvrières sont particulièrement fortes, notamment lors de la grève des ouvriers des sablières de Draveil-Vigneux. Les affrontements feront plusieurs morts, des centaines de blessés. Clemenceau fait arrêter les dirigeants de la CGT, mais renonce à la dissoudre pour mieux l'affaiblir.

En fin de compte, le bilan de Clemenceau s'avère mince par rapport à ses ambitions. Il a modernisé la police française, assuré la retraite des cheminots et nationalisé la Compagnie des chemins de fer de l'Ouest. Il a surtout dû gérer les événements et les grèves. Les réalités du pouvoir ont eu raison de ses intentions.

Le 20 juillet 1909, Clemenceau chute. Victime de lui-même en s'en prenant personnellement à Delcassé qu'il détestait. Et ce, sur un problème technique, celui de la Marine française qui était mise en cause. Or Delcassé bénéficie alors d'une réelle popularité. L'ordre du jour est repoussé par la Chambre. Clemenceau est presque soulagé d'en avoir terminé : « Je suis à bas et m'en trouve bien… Je suis tout à la joie de la délivrance. Plus de gens à voir, plus de demandes, plus rien que la liberté. Antichambre vide[37]. » Le ministère de Clemenceau a été l'un des plus longs de la IIIe République : trente-trois mois.

*

À l'automne 1908, Monet décide d'emmener Alice à Venise. Ils y séjournent d'octobre à décembre. Une nouvelle série voit le jour : *Vues à Venise*. Dès son arrivée, Monet est saisi et tétanisé par la beauté de Venise. Il se sent trop vieux pour peindre de telles beautés. En plus, les toiles ne sont pas encore arrivées. Il finit par se mettre à travailler au bout d'une longue semaine, toujours si sensible au temps : « Dès 8 h, nous sommes au premier motif — San Giorgio, en face de la place S. Marco ; à 10 h place S. Marco, en face San Giorgio. Après déjeuner, Monet travaille sur les marches du Palazzo Barbaro — puis à 3 h aux gondoles ; nous faisons un tour pour admirer le coucher du soleil et rentrons à 7 h[38]. » Comme à son habitude, entre satisfactions et déceptions, Monet oscille en fonction du temps : « Bien que je sois enthousiaste de Venise et que j'y aie commencé quelques toiles, je crains bien de ne pouvoir apporter que des commencements qui seront uniquement des souvenirs pour moi [...] Il y a trop à faire pour ne pas y revenir. C'est merveilleux[39]. » Il peint toute la journée, encouragé par les lettres de Clemenceau et de Geffroy, et soutenu par sa femme : « Monet travaille, il travaillait encore à 9 toiles hier. C'est trop, car c'est sans arrêt depuis 8 h du matin jusqu'à 5 h, sauf une heure pour le déjeuner. Hier soir, il était si fatigué que cela me tourmentait : à son âge, il faut plus se ménager, mais il est si heureux[40]. » Son caractère reste le même : « Monet redoute le froid, a quelquefois un peu de rhumatisme au bras ou plutôt la fatigue de l'excès de travail et dit alors que son bras va être paralysé ; enfin, tu le connais, tu sais les sauts extrêmes, du beau au laid, du bon au mauvais, et il me faut, je t'assure, grande énergie et bonne dose de courage car seule ainsi, c'est pénible[41]... » Néanmoins, Monet rapporte vingt-six toiles de Venise, qui sont toutes acquises dès son retour à Giverny par les Bernheim. Mais le moral de Monet n'est pas bon. Il passe une année sans peindre. Tout a l'air d'aller mal : « Je ne pense plus du tout au travail et vois tout en noir[42]. » Pour finir de l'achever, en ce début d'année 1910, une crue exceptionnelle a fait sortir la Seine de son lit. Paris est sous les eaux ; le jardin de Monet aussi : « J'ai cru un moment que tout mon pauvre jardin serait perdu, ce qui était pour moi un très gros cha-grin. Enfin l'eau se retire petit à petit et, bien que je perde beaucoup de plantes, peut-être le désastre sera moins grand que je craignais. Mais quelle cala-mité et que de misères[43]. »

Mais cette calamité n'est rien en comparaison de ce qui l'attend. Au début de mars 1910, Alice tombe gravement malade. Elle est atteinte d'une leucémie. Elle est extrêmement faible. Elle subit des soins, de la radiothérapie encore à ses débuts. Elle oscille pendant de longs mois entre rémissions et rechutes. Monet a cessé de peindre. Le 19 mai 1911, Alice meurt à Giverny : « Malgré tout mon courage, malgré la tendre affection des enfants, je me sens terrassé, anéanti par cette cruelle sépara-tion[44]. »

Si les amis, dont Clemenceau (« Souvenez-vous du vieux Rembrandt au Louvre, il s'accroche à sa palette, résolu à tenir bon jusqu'au bout à travers de terribles épreuves. Voilà l'exemple[45]. ») Geffroy, Renoir, Mirbeau, viennent le voir pour le réconfor-ter, Monet semble anéanti. Sa tristesse est immense. Il s'enferme dans sa douleur. En octobre, il tente bien de reprendre ses tableaux, espérant retrouver sa vitalité. En vain : « Je m'étais remis au travail et je me croyais sauvé, mais je ne suis plus bon à rien et suis navré de ce que je fais, même de ce que j'ai fait[46]. » Pourtant, en janvier 1912, Monet reprend ses pinceaux. Il retravaille. Avec toujours les mêmes sauts d'humeur, mais du moins tra-vaille-t-il. Il s'engage même auprès des Bernheim pour une exposition prévue fin mai sur les toiles de Venise. Engagement qu'il tient malgré ses habi-tuelles préventions : « Me voilà bien près de mon-trer mes *Venise* que j'aurais tant aimé à revoir sur place, car comme toujours, hélas ! au dernier moment pour ne pas arriver à grand-chose de bon. Et ce sera un vrai soulagement quand ils seront tous emballés et que je ne pourrai ni les voir ni les retoucher[47]. » Geffroy vient même à Giverny rassurer Monet qui se voit comme un « homme foutu[48] ». Finalement, Monet livre bien les toiles. De mai à juin 1912, la galerie Bernheim-Jeune expose vingt-neuf toiles de *Vues à Venise*. Un catalogue est publié, accompagné d'une préface d'Octave Mirbeau : « Les critiques d'art ont le plus souvent affirmé que l'initiateur fut Manet. Or, le premier qui s'avisa que la lumière était, ce fut Claude Monet. Lorsque Claude Monet pensa que le soleil lui aussi appartenait au monde visible, Manet se cherchait encore lui-même à travers les musées. Tous les peintres d'aujourd'hui doivent leur palette à Claude Monet. Nul peintre désormais ne pourra s'affranchir des problèmes que Claude Monet a résolus ou posés. L'œuvre de Claude Monet a passé dans le langage de la peinture, comme l'œuvre d'un écrivain de génie passe dans la langue écrite et l'enrichit à jamais. Et il n'est pas question de peinture claire ou de peinture sombre. Le problème de la lumière est plus vaste que celui de l'éclat. Un Rembrandt qui naîtrait demain devrait de la gratitude à Claude Monet[49]. » Signac est particulièrement admiratif : « Ces *Venise* […] où tout concorde à l'expression de votre volonté, où aucun détail ne vient à l'encontre de l'émotion, où vous avez atteint à ce génial sacrifice […] je les admire comme la plus haute manifestation de votre art. […] Toujours un Monet m'a ému, j'y ai puisé un enseignement et, aux jours de découragement et de doute, un Monet était pour moi un ami et un guide[50]. » Et Monet de lui répondre : « Si les injurieuses critiques de la première heure m'ont laissé froid, je reste aussi indifférent aux éloges des imbéciles, des snobs et des trafiquants. L'opinion de quelques-uns dont vous êtes m'est précieuse[51]. »

Passé le feu de l'exposition, Monet se remet au travail : « un besoin de m'absorber dans le travail afin de ne pas penser trop à ma tristesse, ce travail que j'ai dû abandonner depuis plusieurs années, hélas ! et qui me laisse aujourd'hui comme un débutant ayant tout à réapprendre[52] ».

En juillet 1912, arrive la terrible nouvelle. Monet perd la vue : « Il y a trois jours, me mettant au travail, j'ai constaté avec terreur que je ne voyais plus rien de l'œil droit. J'ai tout planté là pour aller bien vite me faire examiner par un spécialiste qui m'a déclaré que j'avais la cataracte et que l'autre était légèrement atteint aussi. On a beau me dire que ce n'est pas grave, que j'y verrai comme avant après l'opération, je suis très tourmenté et inquiet. Il ne manquait plus que cela[53]. » Sans compter que son jardin a été dévasté par un violent coup de vent : « Mes saules pleureurs dont j'étais si fier, saccagés, ébranchés ; le plus beau entièrement brisé. Bref, un vrai désastre et ça a été un vrai chagrin pour moi. Plus que jamais et malgré ma pauvre vue, j'ai besoin de peindre et de peindre sans cesse[54]. »

*

Après avoir quitté la présidence du Conseil, Clemenceau poursuit ses différentes activités entre ses voyages et sa charge de parlementaire. Il demeure un personnage redouté et redoutable, alors qu'inévitablement les frictions avec l'Allemagne annoncent une guerre dont personne n'est dupe. Clemenceau résume bien le sentiment général lors de la ratification du traité franco-allemand sur le Congo : « De bonne foi, nous voulons la paix, parce que nous en avons besoin pour notre pays. Mais enfin, si on nous impose la guerre, on nous trouvera[55]. »

En 1908, Georges Clemenceau acquiert une nouvelle maison, à Bernouville, près de Gisors dans l'Eure. Il y restera jusqu'en 1922. Dans ce manoir, il cultive son jardin, élève quelques vaches et porcs. Il pêche aussi. Il y reçoit les fins de semaine, notamment Claude Monet. Et Claude Monet invite Clemenceau à Giverny.

Pour payer cette maison, Clemenceau entreprend une série de conférences en Amérique latine de juin à octobre 1910. Il se rend en Argentine, en Uruguay et au Brésil. Dans ses conférences, il rappelle ses combats, prône le régime parlementaire et défend l'alliance de l'idéalisme et du pragmatisme : « Je suis un soldat de la démocratie. » Treize longs articles raconteront son voyage dans *L'Illustration* de janvier à avril 1911.

À son retour, Clemenceau apparaît fatigué. Il souffre de la prostate. En avril 1912, il est opéré à Paris par le docteur Gosset, dans une clinique tenue par des religieuses qui assurent les soins. L'anticlérical virulent soigné par une religieuse ! La sœur Théoneste ne tint pas rigueur des assauts d'ironie du Tigre : elle continuera de lui prodiguer des soins jusqu'à la fin de sa vie, notamment après l'attentat manqué contre lui par un anarchiste en février 1919. L'opération est particulièrement dangereuse. À la souffrance, Clemenceau a préféré le risque de mourir. Le 15 mars 1912, il écrit à Claude Monet :

« Je vais mieux, mais il faut que je me fasse donner un coup de couteau dans un mois. »

En 1913, a lieu l'élection du nouveau président de la République. L'occasion pour Clemenceau d'être à la manœuvre. Son candidat est le ministre de l'Agriculture, Jules Pams, dont il dit : « Ce n'est pas un homme, c'est un bruit. » Clemenceau, en réalité, ne veut pas de Poincaré, avec qui il entretient de très mauvaises relations. À la « primaire » organisée habituellement par le Parti républicain, Pams est désigné ; mais Poincaré, bien que Clemenceau et Combes viennent pour le parti lui demander de respecter la discipline républicaine, se porte néanmoins candidat devant le Congrès. Il est élu. Il choisit comme président du Conseil Aristide Briand.

Aristide Briand a un projet : celui de remplacer le scrutin uninominal par la proportionnelle, au nom de la justice. Si Clemenceau n'est pas un ardent défenseur du scrutin uninominal d'arrondissement, il est en revanche opposé au scrutin proportionnel. Le 18 mars 1913, à la tribune du Sénat, Briand pose la question de confiance pour faire passer son projet, qui est l'objet de vives discussions : « Si vous ne voulez pas adhérer à l'invitation que je vous fais, c'est que vous ne voulez plus de ce gouvernement. » Clemenceau intervient alors avec une fougue toute retrouvée : « Depuis la Révolution française, nous sommes à la recherche d'un régime stable ; tout a été essayé : monarchie absolue, monarchie censitaire, empire, république ; enfin, depuis 1870, nous avons trouvé le régime actuel qui dure, grâce à ce principe que c'est la majorité qui décide. Non pas qu'elle soit parfaite, non pas qu'elle ne soit pas faillible et qu'elle n'ait pas commis beaucoup de fautes ; mais, grâce à la souplesse de notre régime électoral, la majorité qui vient répare les erreurs de la majorité qui a vécu. L'homme n'est pas infaillible ; une majorité composée d'hommes peut donc se tromper. Mais il y a un principe avec lequel nous ne pouvons pas transiger ; c'est celui qui implique qu'un candidat ayant obtenu moins de voix que son concurrent soit élu. Cela, nous ne pouvons pas l'admettre. Tout autre procédé qui permettrait d'instituer la représentation des minorités, je suis prêt à l'accepter, mais quand le principe que je viens d'exposer est en jeu, permettez-moi de vous le dire, je reste au drapeau[56] ! » Le projet est finalement repoussé et Briand démissionne. C'est la seconde fois que le Sénat renverse un gouvernement. Clemenceau n'a pas perdu la main. Au contraire.

En 1914, les élections sont nettement remportées par la gauche. Le 7 juillet, l'impôt sur le revenu est définitivement voté, à la grande satisfaction de Clemenceau, qui avait porté depuis longtemps cette grande réforme, notamment quand il était président du Conseil.

En réalité, Clemenceau est surtout très préoccupé par l'Allemagne. Le 10 février 1912, il avait rappelé l'état d'esprit de la France et de l'Allemagne : « La difficulté, entre l'Allemagne et nous, est celle-ci : c'est que l'Allemagne croit que la logique de sa victoire est dans la domination, et que nous ne croyons pas que la logique de notre défaite soit dans la vassalité[57]. » Et de redire son attachement à la paix sans angélisme : « Nous sommes pacifistes, pacifiques, pour dire le mot exact, mais nous ne sommes pas soumis. Nous ne souscrivons pas à l'arrêt d'abdication et de déchéance prononcé par nos voisins. Nous venons d'une grande histoire, nous entendons la conserver. [...] Les morts ont fait les vivants ; les vivants resteront fidèles aux morts. Et que dirions-nous à cette jeunesse qui vient à nous, qui vous regarde avec des yeux défiants, parce que nous lui avons remis une France moindre que celle que nous avons reçue ? Lui dirons-nous de renier son histoire, de l'oublier, d'abdiquer, de se soumettre à l'inévitable destinée des peuples qui ont fini de vivre ? [...] Nous avons encore quelque chose à dire, quelque chose à faire, quelque chose à vouloir[58]. »

À cet égard, le projet du service militaire de trois ans est l'objet de nombreux affrontements politiques depuis 1913. Alors que le projet est dans l'air, Clemenceau rencontre le diplomate Maurice Paléologue, ami de Poincaré, à un dîner donné à l'ambassade d'Italie. Il confie à Paléologue ses préoccupations : « Je ne vous demande pas vos secrets, mon cher directeur ; mais je vais vous dire les miens. La situation extérieure me paraît chaque jour plus inquiétante. Nous n'avons quelque chance de sauver encore la paix que si nous avons une armée forte. Donc il faut revenir immédiatement au service de trois ans. Et surtout pas de dispenses ! La même corvée pour tous ! Sinon le pays ne comprendrait pas[59]. » Paléologue décrit ainsi Clemenceau : « Comme dans la crise tragique de 1905, le grand tombeur des ministères, l'enfant terrible de la presse et du Parlement, a senti soudain se réveiller en lui toutes les énergies de son patriotisme révolutionnaire[60]. »

La situation est en effet préoccupante. Tandis que la France voit les décès supplanter les naissances, l'Allemagne augmente sa population de 500 000 personnes par an. Sans compter qu'elle consacre des moyens très importants à la modernisation de son armée. Le 6 mars 1913, Briand présente son projet du rétablissement du service militaire pour trois ans. Les socialistes menés par Jaurès sont contre : « C'est un crime contre la République et contre la France. » Le 21 mai, Clemenceau publie un article « Pour la défense nationale » : « Sous prétexte de se garantir contre notre agression, [l'Allemagne] n'en continuera pas moins ses entreprises de surarmement jusqu'au jour qu'elle croira propice pour en finir avec nous. Car il faut être volontairement aveugle pour ne pas voir que sa fureur d'hégémonie, dont l'explosion ébranlera tout le continent européen quelque jour, la voue contre la France à une politique d'extermination. Si la catastrophe est inévitable, il faut donc que nous nous préparions à l'affronter de tout notre effort. Voilà pourquoi je suis disposé d'une façon générale à ne rien refuser au gouvernement, quel qu'il soit, des moyens de défense qu'il sollicite des Chambres. Ceux qui ont vu 1870-71 ne peuvent plus laisser échapper une chance, si minime fût-elle, de ne pas revoir les effroyables jours dont l'horreur ne pourrait être que centuplée. Au moins si la destinée m'inflige encore, en l'avivant, ce supplice sans nom, dont le souvenir me hante, ai-je bien résolu de ne jamais mettre à mon compte la plus petite part de responsabilité dans tout ce qui peut affaiblir mon pays livrant le suprême combat pour l'existence[61]. »

*

À la veille de la Première Guerre mondiale, Clemenceau et Monet ont d'une certaine manière réussi leur carrière. L'un avec la présidence du Conseil, l'autre en étant considéré comme le plus grand peintre français. Ils sont connus et reconnus, détachés de certaines contingences matérielles. Leur amitié est forte. Mais pour l'accomplissement de leur propre destin, il leur manque l'événement qui transcendera leur vie en destin. Ce sera la Victoire pour Clemenceau et les *Nymphéas* pour Monet. Deux combats offerts, l'un historique, l'autre esthétique, au service d'une certaine idée de la France.

Chapitre VI

LA GRANDE GUERRE
(1914-1918)

« La France, c'est une histoire, c'est une vie, c'est une pensée qui a pris sa place dans le monde, et le morceau de cette terre d'où cette histoire, cette vie, cette pensée ont rayonné, nous ne pouvons le sacrifier sans sceller la pierre du tombeau sur nous-mêmes, sur nos enfants et sur les générations qui seraient nées d'eux. »

GEORGES CLEMENCEAU

« Si j'étais mort avant cette guerre, je serais mort dans la conviction que mon pays était perdu. Les vices du régime parlementaire, les intrigues, les défaillances, le caractère, tout me faisait croire à notre décadence. Mais cette guerre m'a montré, comme elle a montré au monde entier, une France si belle, si admirable, que maintenant j'ai pleine confiance. »

GEORGES CLEMENCEAU

À la veille de la guerre, Clemenceau est conscient des faiblesses des Français : « C'est un peuple d'idéalisme, de critique, d'indiscipline, de guerres et de révolutions[1]. » Et de se souvenir de l'atmosphère à Bordeaux lors de la guerre de 1870 : « Ce qui m'a frappé profondément, à Bordeaux, en particulier, c'est cette dissociation de tous les liens politiques et sociaux, parce que le maître avait disparu. Il y avait de la poussière de Français, il n'y avait plus la France[2]. » C'est pour ces raisons qu'il se montre intraitable en mai 1913 envers les soldats qui se révoltent contre le maintien de la classe 1910 sous les drapeaux : « Tandis que tu désarmes, entends-tu le fracas des canons, de l'autre côté des Vosges ? [...] Un jour, au plus beau moment où fleurit l'espérance, tu quitteras tes parents, ta femme, tes enfants, tout ce que tu chéris, tout ce qui tient à ton cœur et l'enserre, et tu t'en iras, chantant comme hier, mais une autre chanson, avec tes frères — avec des vrais frères, ceux-là — au-devant la mort... Et voilà qu'à ce moment suprême, tu reverras dans un éclair tout ce qui peut se rassembler en un mot si doux : le pays[3]. » Ce moment est arrivé. Le 1er août 1914, la mobilisation générale est décrétée en France. Le 3 août, l'Allemagne déclare la guerre à la France. Les premiers combats éclatent dans les premiers jours d'août. Le XXe siècle est né. Avec ses morts, ses tragédies et ses horreurs. Mais aussi et heureusement ses héros.

Pour Clemenceau, « l'heure est venue des résolutions graves. En effet, il s'agit, pour la France, de la vie ou de la mort[4] ». Il sait que « cramponnés à ce qui nous reste de France, nous ne voulons pas, nous ne pouvons pas subir la même épreuve [la défaite de 1870] une seconde fois. Il ne suffit pas d'être des héros. Nous voulons être des vainqueurs[5] ». Clemenceau a soixante-treize ans. Il n'a rien perdu de son caractère et de sa fougue. Il ne s'est jamais résigné à la perte de l'Alsace et de la Lorraine. Il refuse la domination de l'Empire allemand sur l'Europe, qui a préparé et voulu cette guerre, qui a « renoncé à tout scrupule de conscience, pour la déchaîner en vue d'une paix de servitude, sous le joug d'un militarisme destructeur de toute dignité humaine[6] ». Il croit fermement à la victoire de la France. Au nom du Droit et de la Justice. Il écrit le 5 août 1914 dans *L'Homme libre* : « Guillaume II l'a voulu. La parole est au canon. [...] Et maintenant, aux armes ! Tous. J'en ai vu pleurer, qui ne seront pas des premières rencontres. Le tour viendra de tous. Il n'y aura pas un enfant de notre sol qui ne soit pas de l'énorme bataille. Mourir n'est rien. Il faut vaincre[7]. » Le ton est donné. Ce sera celui de Clemenceau pendant toute la guerre.

Dans son message du 4 août aux chambres, le président de la République, Raymond Poincaré, en appelle à l'Union sacrée ; ce qu'approuve Clemenceau : « Aujourd'hui, il ne doit pas y avoir deux Français qui se haïssent. Il est temps que nous connaissions la joie de nous aimer. De nous aimer par ce qu'il y a de plus grand en nous, le devoir de témoigner devant les hommes que nous n'avons pas dégénéré de nos pères, et que nos enfants n'auront pas à baisser les yeux quand on parlera de nous[8]. » Poincaré note dans ses *Souvenirs* : « M. Clemenceau m'offre une trêve. Rien de plus. Devant l'ennemi, une trêve entre lui et moi n'est pas à dédaigner. [...] Son intelligence et sa crânerie peuvent être, un jour, utiles, peut-être même nécessaires au pays[9]. » Pour l'instant, il est trop tôt ; personne n'est encore prêt à supporter le caractère de Clemenceau. Ce que confirme Poincaré fin août 1914, après que Clemenceau eut rageusement refusé un simple poste de ministre : « Il serait capable de confondre l'impulsion avec l'énergie. Peut-être son heure viendra-t-elle, si comme il est maintenant à craindre, la guerre doit être longue. Mais, aujourd'hui, il ferait, à tort et à travers, des coupes sombres dans le commandement de l'armée. Autant sa présence serait utile au gouvernement, parce qu'il y apporterait son ardeur et ses éclairs, autant elle pourrait être dangereuse, en ce moment, à la tête du Cabinet[10]. »

Car, dans cette guerre, Clemenceau entend ne pas être complaisant ni indulgent. Au contraire, il considère même que son devoir est d'attaquer sans concession ceux qui la conduisent mal. Il ne se retiendra pas. Fidèle à son caractère, il sera intraitable avec les défaitistes, les traîtres et les incompétents. Dès septembre 1914, son journal, *L'Homme libre*, subit d'ailleurs les foudres de la censure quand il pointe les défaillances du service sanitaire de l'armée lors d'un passage en gare de Bordeaux où il voit des blessés revenant du front ayant voyagé dans des wagons infectés par des chevaux malades, atteints du tétanos. Clemenceau change alors le titre de son journal qui devient : *L'Homme enchaîné*[11]. Dès lors, Clemenceau se montrera également très critique avec la censure, fautive à ses yeux de cacher les faiblesses et défaillances de l'armée au détriment de la victoire.

Devant cette guerre, Clemenceau a les idées claires sur la manière de la gagner : détacher l'Italie de la Triple Alliance qu'elle forme avec l'Allemagne et l'Autriche, renforcer les liens avec l'Angleterre et la Russie et, enfin, assurer l'entrée des États-Unis dans la guerre. En politique intérieure, il défend trois principes simples : un gouvernement qui gouverne, qui a la prééminence sur le commandement militaire et qui est soutenu par tous. Clemenceau est particulièrement conscient de la gravité du moment : « De cette guerre doit sortir toute une révolution européenne d'asservissement ou de liberté[12]. »

Ce n'est que le 22 décembre 1914, au retour du gouvernement replié à Bordeaux, que le Parlement se réunit à Paris. Après six mois de guerre, les deux chambres siègent à nouveau ; et ce pour toute la durée de la guerre, même si les élections sont repoussées à la fin des hostilités. Pour Clemenceau, le Parlement doit non seulement contrôler le gouvernement, mais également l'armée : « Il n'est pas bon pour personne de n'être pas contrôlé, critiqué ; cela n'est que trop vrai, même et surtout du haut commandement militaire[13]. »

*

« Si ces sauvages doivent me tuer, ce sera au milieu de mes toiles, devant l'œuvre de toute ma vie[14]. » Claude Monet est à Giverny quand la Première Guerre mondiale éclate. Seul avec sa belle-fille, Blanche, qui veille sur lui, et avec son fils Michel, qui a été réformé. Sa première préoccupation est d'avoir des nouvelles des uns et des autres. Une autre est de mettre à l'abri ses tableaux. D'autant plus que les troupes allemandes s'approchent dangereusement de Paris par le nord. Heureusement, grâce aux fameux taxis de la Marne, les troupes françaises ont remporté une victoire décisive. Giverny est épargné ; Monet et ses toiles aussi. Demeure l'inquiétude : « Jusqu'à présent, nous avons de bonnes nouvelles de tous ceux que nous avons sous les armes. Je serais très heureux de recevoir des lettres, ne voyant plus personne si ce n'est de malheureux blessés, car il y en a partout, dans les plus petits villages[15]. » Monet offre les légumes de son jardin à l'hôpital de fortune qui s'est constitué à Giverny ; sa manière de participer à l'effort de guerre.

En décembre 1914, Monet reçoit la visite de Clemenceau, qui revient de Bordeaux. Il a repris ses pinceaux : « Je me suis remis au travail ; c'est encore le meilleur moyen de ne pas trop penser aux tristesses actuelles bien que j'aie un peu honte de penser à de petites recherches de formes et de couleurs pendant que tant de gens souffrent et meurent pour nous[16]. » En effet, Monet s'est attelé aux *Grandes Décorations*. Il y pense depuis quelques années sans s'y être vraiment attardé ; occupé qu'il était par d'autres motifs. Désormais, il a trouvé son motif et la manière : « C'est une bien grosse chose que j'ai entreprise surtout à mon âge, mais je ne désespère pas d'y arriver si je conserve la santé. [...] Il s'agit bien de ce projet que j'avais eu, il y a longtemps déjà, de l'eau, des nymphéas, des plantes, mais sur une très grande surface[17]. »

Ce travail l'occupe et le préoccupe pendant toute la guerre. À la Monet, c'est-à-dire qu'il le consume, le brûle, l'accapare, le déçoit, le réjouit, l'angoisse et le mine. Bref, Monet face à ses toiles avec le temps changeant et les difficultés quotidiennes. À la mi-mars 1915, Michel, le second fils de Monet, bien que réformé, s'engage néanmoins dans l'infanterie. Et Monet de peindre pour oublier : « Je ne fais pas de merveilles, j'use et gâche beaucoup de couleur, cela m'absorbe assez pour ne pas trop penser à cette terrible, épouvantable guerre[18]. » Son travail incessant n'est troublé que par la construction du nouvel atelier qu'il fait réaliser au cours de l'été. Avec son insatisfaction habituelle, Monet doute : « Je travaille énormément, me donnant un mal terrible à cause du temps si variable que nous avons depuis deux mois ; aussi ne réussirai-je pas à faire ce que je voulais du moins cette année. Je parle là comme si j'en avais beaucoup devant moi, ce qui est pure folie, comme d'avoir entrepris un pareil travail à mon âge et de me lancer dans de gigantesques constructions[19]. »

Ces « gigantesques constructions » consistent en un grand atelier de plus de 250 mètres carrés, long de 22 mètres et large de 12. Un chauffage central permet à Monet de travailler l'hiver et des ventilateurs sont installés pour l'été. La vraie particularité de cet atelier est son immense verrière qui permet à Monet de peindre à « la pleine lumière du jour venant ni de droite ni de gauche, ni du nord, ni du sud, mais du ciel, tout simplement[20]... ». Une longue plate-forme est installée pour que Monet puisse accéder aisément à la partie supérieure des tableaux. Autre changement radical : cet atelier-lumière lui permet de peindre pour la première fois un motif de la nature en intérieur.

*

En janvier 1915, Clemenceau est élu à la commission de l'Armée au Sénat, à laquelle il n'appartenait pas. En février, il est également élu à la commission des Affaires étrangères nouvellement créée au Sénat. Le 4 novembre, il prend la présidence de ces deux commissions. Cette place s'avère essentielle pour Clemenceau. Elle lui permet non seulement de se faire entendre, mais également d'agir en exerçant son contrôle et son intransigeance. Son pouvoir est redoutable, et redouté par les ministres et les militaires. Pendant deux années, Clemenceau ne cesse de harceler le gouvernement sur les moyens et la manière de mener la guerre, regrettant systématiquement la faiblesse de caractère des ministres et l'insuffisance des moyens mis en œuvre pour gagner la guerre, qu'il s'agisse d'armement, d'effectifs, d'approvisionnement, de ravitaillement, de matières premières ou de santé militaire : « Ceux qui n'ont pas su préparer la guerre sont précisément ceux qui ont reçu la charge de la conduire. Nous ne permettrons pas qu'on mette indéfiniment en cause le salut de la France avec le prestige d'incapacité[21]. »
Clemenceau a peu de considération pour les présidents du Conseil successifs (Viviani, Briand,

Ribot, Painlevé), ainsi que pour les ministres de la Guerre, à l'exception de Gallieni. Sans oublier Raymond Poincaré, le président de la République, qu'il déteste cordialement. Ce qu'il attend d'eux : de l'énergie. En vain... Pour lui, il ne s'agit pas d'une question d'hommes, mais de méthode. Et de citer une histoire de Jules Grévy, qui, pour expliquer que le changement de magistrat ne transformait pas pour autant la magistrature, lui « conta qu'il avait dans sa cave un beau tonneau de vinaigre qui restait imperturbablement vinaigre malgré le bon vin qu'il s'obstiner à verser[22] ».

Outre ses fonctions de président de ces deux commissions et ses articles quotidiens dans *L'Homme enchaîné* (306 articles en 322 jours), Clemenceau effectue aussi de nombreuses visites au front. Refusant les visites organisées, il se rend dans les tranchées. Il rencontre les officiers et les soldats. Il écoute. Il prend des notes. Il pointe les insuffisances ou les faiblesses : « Quand pour la première fois je suis entré dans un trou de boue, j'ai descendu une douzaine de marches et j'ai trouvé sous des capotes ruisselantes, dans une atmosphère infecte, des hommes qui dormaient comme s'ils avaient été couchés dans le meilleur lit ; à quatre heures du matin, sur un simple geste du caporal, j'ai vu des soldats, sans un mot, se lever, puis partir, sous les obus qui tombaient de tous côtés. Ces hommes sont grands dans leur âme, ils veulent de nobles choses, ils ne se jugent pas toujours comme il faudrait, mais ils donnent leur vie, on ne peut leur demander rien de plus[23]. »

Clemenceau travaille énormément, s'accordant peu de pause, sauf pour aller voir Monet de temps en temps à Giverny. À son bureau, son secrétaire,

Jean Martet, classe le volumineux courrier que reçoit Clemenceau en plusieurs catégories : « Lettres d'injures sans menaces de mort, lettres d'injures avec menaces de mort, les lettres d'inventeurs [...] les lettres des Varois ("Les Varois étaient tous candidats à quelque chose. [...] Le cher Var ! À la fois naïf et cynique !"), les lettres de fous, les lettres d'officiers "qui avaient un plan génial pour bouter les Allemands hors de France", les lettres d'officiers "qui réclamaient des grades, des croix, citaient l'Annuaire comme la Bible", les lettres où l'on dénonçait les embusqués et les lettres qui ne proposaient rien et ne demandaient rien[24]. » De ces courriers il tire beaucoup d'informations. Elles nourrissent ses articles de presse et les différentes lettres de remontrance qu'il adresse tant à l'armée qu'au gouvernement et au président. Et Poincaré excédé de lui répondre : « Je demeure stupéfait de la facilité avec laquelle vous accueillez les bruits les plus absurdes lorsqu'ils font écho à vos préventions. Ce que vous aviez dit à votre dernière entrevue m'avait déjà prouvé quelles étranges erreurs de psychologie vous commettez... Je vous plains dans l'âme d'avoir une si aveugle puissance de haine et de mépris[25]. »

Au début de la guerre, l'Allemagne avait pour objectif d'écraser l'armée française en quelques semaines. Après avoir violé la neutralité belge, l'armée allemande a tenté d'encercler les troupes françaises en passant par le Nord sans prendre Paris. L'armée française a réagi en menant la bataille de la Marne en septembre 1914, qu'elle a remportée. Les Allemands se sont repliés, mais s'engage alors entre les deux armées une course à la mer jusqu'en novembre 1914. En vain. Les

deux armées sont désormais figées dans une sanglante guerre de tranchées. Sans que les offensives françaises en Champagne et en Artois en 1915,
les tentatives de diversion aux Dardanelles et à
Salonique en 1915 ou la guerre d'usure menée par
les Allemands à Verdun et par les Alliés dans la
Somme en 1916 changent le cours de cette guerre.
Quant à l'entrée en guerre de l'Italie en mai 1915
aux côtés des Alliés, elle n'a pas produit les effets
escomptés.

Pourtant, en mai 1916, Clemenceau reste malgré tout confiant, même s'il continue de critiquer
durement le gouvernement : « J'ai rapporté du front
la conviction absolue que nous avons en mains
toutes les conditions de la victoire. Encore faut-il
qu'organisation et commandement se mettent en
mesure d'en profiter. Et qu'on n'allègue pas que
nous aurons, quoi qu'il arrive, la victoire finale,
n'importe comment. Je n'ai pas cessé de le croire.
Mais quand un pays a subi des pertes qui ne pourront pas être longtemps encore dissimulées, est-il
donc indifférent d'y ajouter un inutile surcroît de
ruines et de sang en sacrifices supplémentaires ?
Est-ce que des gens qui se plaignent de la durée
de la guerre sont encore bien sûrs de n'avoir pas
contribué à la prolonger en soutenant des prépa-
rateurs d'impréparation et des ajourneurs d'organisation[26] ? »

Mais, après dix mois d'affrontements sanglants à
Verdun — qui font 300 000 morts, dont 163 000
Français — et dans la Somme — qui font
1 200 000 morts, dont 500 000 Britanniques et
200 000 Français —, les deux camps sont partagés
entre des sentiments confus : une paix négociée
épargnant et ménageant les uns et les autres, ou

une guerre totale pour une victoire sans appel. Clemenceau est pour une paix victorieuse. Seule bonne nouvelle : l'entrée en guerre des États-Unis en avril 1917.

À l'été 1917, la situation devient particulièrement critique. L'offensive française sur le Chemin des Dames au printemps est un échec sanglant. En trois jours, on compte 40 000 morts. Et à l'issue de la bataille, 200 000 morts français. En France, le pays est las, ses fils meurent par centaines de milliers, personne n'entrevoit la fin du conflit. Des mutineries surgissent, des désertions. L'arrière aussi gronde. Les grèves se multiplient. Les anti-militaristes, les pacifistes, les anarchistes s'agitent et créent des troubles.

C'est le 22 juillet, au cours d'une interpellation du ministre de l'Intérieur, Jean Malvy, qui endure depuis longtemps les foudres de Clemenceau, que ce dernier va apparaître aux yeux de tous comme le seul à même de diriger un véritable gouvernement de guerre par sa détermination, son intransigeance et sa farouche volonté. Il fustige la propagande antipatriotique. Parlant de lui, Clemenceau s'affiche en homme libre : « Je ne suis rien du tout. Je suis un vieillard qui est à la fin de sa vie politique et qui a cette chance extraordinaire, au moment où il n'a plus rien à espérer, à attendre, ni presque à regretter, d'avoir combattu bien ou mal, poursuivant son idéal, essayant toujours de se limiter et à droite et à gauche, en se gardant de la timidité et de la surenchère[27]. » Malvy finit par démissionner, entraînant la démission du cabinet Ribot le 7 septembre. L'heure de Clemenceau n'est pas encore venue. C'est Paul Painlevé qui est nommé président du Conseil.

Cependant, la situation empire : les Italiens ont été défaits à Caporetto le 24 octobre 1917. En Russie, les bolcheviks ont finalement gagné et Kerenski a été renversé ; laissant ainsi le champ libre à la paix séparée avec l'Allemagne. Bref, la situation est des plus catastrophiques. Poincaré note dans ses carnets : « L'heure sonnera bientôt où je serai dans l'obligation de mettre à la tête du gouvernement un homme qui sacrifiera tout à la guerre et qui saura vouloir. Fût-il Clemenceau, fût-il mon pire adversaire, je l'appellerai[28]. » En novembre 1917, ce moment est arrivé.

*

Mois après mois, Monet travaille. Toute l'année 1916, il use de la couleur en masse. Les *Grandes Décorations* l'occupent, même si cette « horrible guerre » le préoccupe aussi. Travaillant sans relâche, son caractère est au diapason : « En ce moment, je me suis lancé dans des transformations de mes grandes toiles et n'en sors pas, et je suis d'une humeur de chien sans compter l'énervement de tout ce qui se passe en ce moment[29]. » Clemenceau passe le voir régulièrement. Il est toujours d'un soutien indéfectible. Il lui écrit pour l'encourager dans son « formidable travail qui est, à vrai dire, de la folie[30] ». Renoir aussi reste fidèle à Monet : « Je suis enchanté de savoir que tu as de grandes décorations, ce sera des chefs-d'œuvre de plus pour l'avenir[31]. »

Monet a de plus en plus de mal à quitter Giverny. Il repousse les déplacements à Paris au moindre prétexte. Souvent sollicité pour les œuvres de guerre, il donne à tel ou tel. Octave Mirbeau meurt en février 1917 et Degas en septembre. À Giverny, Monet reçoit de jeunes peintres, tel Henri Matisse. Les reproductions qu'on lui montre de Picasso le rendent perplexe. Il est même invité par le ministre du Commerce et de l'Industrie, Étienne Clementel, à réaliser une peinture représentant la cathédrale de Reims en novembre 1917. Seule commande officielle faite à Monet, qu'en définitive il ne réalisera pas. Au début de l'automne, il profite d'un voyage qui le conduit à ses anciens lieux de prédilection : « Ravi de mon petit voyage où j'ai revu et revécu tant de souvenirs, tant de labeur. Honfleur, Le Havre, Étretat, Yport, Pourville et Dieppe, cela m'a fait du bien et je vais me remettre avec plus d'ardeur au travail[32]. »

Au moment où Clemenceau redevient président du Conseil, Monet est plein d'admiration pour l'énergie de son vieil ami : « Et voilà mon vieux Clemenceau au pouvoir. Quelle charge pour lui ! Puisse-t-il faire de la bonne besogne malgré toutes les embûches qui vont lui être créées ! Quelle belle énergie tout de même[33] ! »

*

Le 13 novembre 1917, Paul Painlevé est mis en minorité à la Chambre des députés ; et ce pour la première fois depuis le début de la guerre. Le 14 novembre, Clemenceau se rend à l'Élysée pour rencontrer Poincaré. Ce dernier a consulté et écouté tous ceux qui s'opposaient à la nomination de Clemenceau, que menace l'insurrection ouvrière. Finalement, le 16 novembre, Clemenceau présente son gouvernement et, le 20, il prononce son discours de déclaration ministérielle : « Nous nous présentons devant vous dans l'unique pensée d'une guerre intégrale. Nous voudrions que la confiance dont nous vous demandons le témoignage fût un acte de confiance en vous-mêmes, un appel aux vertus historiques qui nous ont faits français. Jamais la France ne sentit si clairement le besoin de vivre et de grandir dans l'idéal d'une force mise au service de la conscience humaine, dans la résolution de fixer toujours plus de droit entre les citoyens, comme entre les peuples capables de se libérer. Vaincre pour être justes, voilà le mot d'ordre de tous nos gouvernements depuis le début de la guerre. Ce programme à ciel ouvert, nous le maintiendrons. Champ clos des idéals, notre France a souffert tout ce qui est de l'homme. Ferme dans les espérances puisées aux sources de l'humanité la plus pure, elle accepte de souffrir encore, pour la défense du sol des grands ancêtres, avec l'espoir d'ouvrir plus grandes, aux hommes comme aux peuples, toutes les portes de la vie. La force de l'âme française est là. » Et Clemenceau de promettre : « Un jour, de Paris au plus humble village, des rafales d'acclamations accueilleront nos étendards vainqueurs, tordus dans le sang, dans les larmes, déchirés des obus, magnifique apparition de nos grands morts. Ce jour, le plus beau de notre race, après tant d'autres, il est en notre pouvoir de le faire. »

Cette nomination est un soulagement et un espoir pour beaucoup. Le *New York Time* dresse le portrait de Clemenceau : « Le retour du Tigre est un des événements les plus significatifs de la guerre. [...] On ne peut faire le compte de ses ennemis, ils sont trop nombreux ; il n'en reste pas moins vrai que Clemenceau a été choisi par le pays tout entier. Il est l'homme vers lequel le pays s'est tourné, à l'heure du besoin, car, malgré ses défauts, il est certainement le plus grand homme d'État français contemporain et, en raison de certaines de ses qualités, il se classe parmi les grands Français appartenant à n'importe quelle époque[34]. »

Dans cette guerre des nerfs, Clemenceau a une conviction qui assurera la victoire de la France : « À mesure que la guerre avance, vous voyez se développer la crise morale qui est à la terminaison de toutes les guerres. L'épreuve matérielle des forces armées, les brutalités, les violences, les rapines, les meurtres, les massacres en tas, c'est la crise morale à laquelle aboutit l'une ou l'autre partie. Celui qui peut moralement tenir le plus longtemps est le vainqueur. Et le grand peuple d'Orient qui a subi historiquement, pendant des siècles, l'épreuve de la guerre, a formulé cette pensée en un mot : "Le vainqueur, c'est celui qui peut en un quart d'heure de plus que l'adversaire croire qu'il n'est pas vaincu." Voilà ma maxime de guerre. Je n'en ai pas d'autre. » Ce quart d'heure, c'est Clemenceau qui le gagne un an plus tard : « Politique intérieure ? Je fais la guerre. Politique extérieure ? Je fais la guerre ! Je fais toujours la guerre ! [...] Je continuerai jusqu'au dernier quart d'heure car c'est nous qui aurons le dernier quart d'heure[35]. »

Clemenceau entend frapper l'opinion en montrant que désormais un chef est aux commandes. Pour marquer les esprits, il fait le ménage dans l'État. Il prend des ministres en dehors des partis, des hommes peu connus qui lui sont dévoués. De nombreux hauts fonctionnaires sont démis de leurs fonctions. Malvy et Caillaux sont renvoyés en Haute Cour. Il réorganise également le Haut

Commandement militaire. Non sans mal. Les rivalités sont nombreuses entre les généraux. Clemenceau rappelle Mangin, qui avait été écarté après l'offensive du Chemin des Dames où il avait acquis le surnom de « boucher Mangin ». Malgré l'aura de Pétain, Clemenceau se méfie de ce dernier. Il le confie même à Poincaré : « Pétain est agaçant à force de pessimisme. Imaginez-vous qu'il m'a dit une chose que je ne voudrais confier à aucun autre que vous. C'est cette phrase : "Les Allemands battront les Anglais en rase campagne ; après quoi, ils nous battront aussi." Un général devrait-il parler et même penser ainsi[36] ? » Confiant à l'un de ses proches collaborateurs, en mars 1918, un portrait objectif relativisant la légende du vainqueur de Verdun : « Il n'a pas d'idées, il n'a pas de cœur, il est toujours sombre sur les événements, sévère sans rémission dans ses jugements sur ses camarades et sur ses subordonnés. Sa valeur militaire est loin d'être exceptionnelle, il a dans l'action une certaine timidité, un certain manque de cran. Mais il a su se pencher sur le sort de la troupe, il a compris la mentalité du soldat. Il a été loyal vis-à-vis de moi, il a été correct dans ses rapports avec les alliés. Il a de bonnes manières, de civil plus que de général. Il n'aime guère les intrigues et sait se faire obéir. Il prend ses précautions et reste attentif aux détails. C'est un administrateur plus qu'un chef. À d'autres l'imagination et la fougue, il est bien à sa place si au-dessus de lui se trouvent des hommes pour décider en cas grave[37]. » Finalement, Clemenceau met en avant Foch, qui devient le général en chef des forces alliées avec le consentement des Anglais. Il s'attache aussi à résoudre les difficultés économiques et les retards de l'armement. Il chasse les embusqués. Enfin, il intensifie ses visites au front qui occupent le tiers de son temps et qui feront sa gloire. Et Poincaré de noter dans ses carnets au 1er janvier 1918 : « En France, tout s'est amélioré. Le défaitisme paraît toucher à sa fin. Le moral du pays s'est relevé[38]. »

Les journées de Clemenceau sont particulièrement remplies : lever à 6 heures pour travailler, gymnastique avec un professeur à 7 h 30, arrivée au ministère de la Guerre à 8 h 45. Il est mis au courant des différentes informations par le commandant Marasse, le chef du secrétariat particulier militaire, et prend les décisions nécessaires avec le général Mordacq, directeur du cabinet militaire. À 9 h 30, il reçoit son ministre des Affaires étrangères, Stephen Pichon, pour discuter des dossiers. Puis Georges Mandel vient faire une synthèse des affaires politiques intérieures et une revue de presse. En fin de matinée se passent les multiples réunions : Conseil des ministres, conseil de cabinet, comité de guerre, commissions parlementaires. Il rentre déjeuner à son domicile de la rue Franklin, à Paris. À 14 heures, il est de retour à son ministère pour recevoir des visites et travailler. Il assiste aussi aux séances du Parlement. Vers 20 heures, il réunit ses proches collaborateurs pour faire le point et discuter. Il rentre chez lui vers 21 ou 22 heures pour dîner. « Sa méthode de travail [...] était des plus simples : c'était celle de l'homme d'action. Une fois l'affaire étudiée et la décision prise, l'exécution immédiate. Dès qu'une difficulté surgissait, il faisait appeler, toutes affaires cessantes, l'homme qui, par ses fonctions mêmes, était appelé à la résoudre. Que de fois, en dehors de ses collaborateurs immédiats qu'il faisait venir constamment près de lui, on alla chercher les ministres eux-mêmes, et cela à des heures impossibles, dans tous les coins de Paris, jusqu'à ce qu'on les ait trouvés[39]. »

Poincaré, de son côté, qui se sent mis à l'écart, voit tout autrement le travail de Clemenceau : « Clemenceau, très impulsif, forcément absorbé par d'autres soins, connaissant mal beaucoup de grandes questions, se fait une opinion rapide et irréfléchie, comme il lui est arrivé toute sa vie[40]. » Au sommet de l'État, l'ambiance est à la méfiance entre deux hommes qui ne s'aiment pas.

Au printemps 1918, la situation devient de plus en plus préoccupante. L'Allemagne, en effet, profite de la signature du traité de paix avec la Russie soviétique à Brest-Litovsk le 3 mars. Désormais, l'Allemagne impériale concentre toutes ses forces sur les lignes alliées à l'Ouest. Face aux divisions allemandes, les effectifs de l'armée française sont nettement inférieurs. Et les Américains tardent à arriver en France.

Débutent alors cinq offensives successives allemandes qui doivent assurer définitivement la victoire de l'Allemagne. Elles font trembler et vaciller l'armée française. Toutefois, sans résultat effectif, elles finissent par entraîner la chute de l'Empire allemand.

Première offensive, le 21 mars 1918. Ludendorff, qui dirige l'armée allemande depuis 1916, cherche à séparer le front anglo-belge, au nord, du front français, au sud, pour que l'armée allemande puisse s'y engouffrer. Les Allemands réussissent leur coup et se trouvent à 140 kilomètres de Paris, qu'ils pilonnent avec la « grosse Bertha », un canon qui affole la capitale pendant quelques semaines. L'heure est grave. Le 24 mars, face au danger, Foch réclame une nouvelle fois un commandement unique que les Anglais refusent. Clemenceau se rend à Compiègne pour voir Pétain. Il le trouve « d'un pessimisme exagéré » ; d'autant plus que ses réticences ont contribué à agrandir le trou dans la ligne de front française. Le 26 mars, avec Poincaré et Foch, Clemenceau se rend à Doullens, au nord d'Amiens, pour rencontrer les Anglais. Finalement, les Anglais acceptent de coordonner leurs actions avec les Français. Clemenceau n'a pas encore réussi à organiser l'unité du commandement que souhaite Foch. Question de temps. Elle sera réalisée le 14 mai 1918. Il n'en est pas moins vrai que Clemenceau est très inquiet de la situation. Il le dit à Poincaré : « L'heure est grave ; il n'y a pas à le dissimuler. Il faut prévoir que la retraite s'accentuera encore ; mais l'essentiel est de tenir et de ne pas faire la paix. On a dit beaucoup de mal de nos anciens rois, de Charles VI. Ils ont eu un grand mérite. Ils n'ont pas fait la paix quand il ne fallait pas la faire. Nous ne la ferons pas[41]. » Dans les jours qui suivent, Foch réussit à limiter l'avance allemande. Leur tentative a échoué.

9 avril 1918 : deuxième offensive allemande, dirigée dans les Flandres sur le front britannique. Nouvelle percée, mais non décisive. Les troupes allemandes sont à nouveau stoppées. Elles ont perdu 326 000 hommes et les Anglais, 288 000 soldats.

27 mai 1918 : troisième offensive, sur le Chemin des Dames. Nouvelle percée, le front allié est enfoncé. Les soldats allemands sont à 60 kilomè-

tres de Paris, comme en 1914. Mais Foch réagit promptement et bloque l'avancée des troupes allemandes. Nouveau demi-échec des troupes allemandes. Clemenceau hésite alors à limoger Pétain, qui a fait preuve une nouvelle fois d'un réel pusillanisme. En définitive, il procède au remplacement de plusieurs généraux. À la Chambre, les parlementaires s'agitent. Le défaitisme est à l'œuvre. Clemenceau s'oppose à la Chambre des députés qui réclamait la tête de Foch : « S'il faut, pour obtenir l'approbation de certaines personnes, qui jugent hâtivement, abandonner les chefs qui ont bien mérité de la patrie, c'est une lâcheté dont je suis incapable. C'est la défaillance russe qui avait permis aux Allemands de libérer un million d'hommes. Quelqu'un de vous, ici, a-t-il pu croire que le million de soldats qui allaient être libérés ne se tourneraient pas vers l'Occident[42] ? »

9 juin 1918 : quatrième offensive allemande, en direction de Compiègne. L'aviation française a heureusement repéré les mouvements de troupe et Foch y place alors des réserves. L'assaut est un échec. Les Allemands n'avancent pas.

15 juillet 1918 : cinquième et dernière offensive allemande, sur les flancs est et ouest de Reims. Mais les Alliés ont été informés à temps de cette offensive. Nouvel échec pour les Allemands.

L'échec des offensives allemandes scelle leur défaite et la fin de leurs espoirs. Et ce d'autant plus que le rapport de forces s'est inversé au profit des Alliés avec l'arrivée des soldats américains, qui sont de plus en plus nombreux depuis le printemps 1918 et qui commencent à prendre part aux batailles. En juillet 1918, ils sont déjà près d'un million. En novembre, ils seront deux millions.

C'est dans ces conditions que Foch organise la contre-offensive des Alliés. Fort de l'expérience de ces cinq offensives allemandes, il prépare une large attaque sur la forêt de Villers-Cotterêts pour réduire la poche allemande dans les lignes alliées. Sans préparation d'artillerie, l'assaut est lancé le 18 juillet. Les Allemands, surpris, reculent. À tel point que Ludendorff ordonne le repli général jusqu'au Chemin des Dames. Succès total des troupes alliées. Le 8 août, nouvelle offensive des Alliés. Et l'armée allemande recule à nouveau, avec des unités qui refusent même de combattre. Dès lors, Foch lance de nouvelles grandes offensives en septembre avec pour objectif de faire fléchir le moral des troupes allemandes. Objectif atteint. Désormais, l'Allemagne cherche le moment le plus propice pour s'entendre avec les Alliés et signer un armistice.

*

Puisque le ministre du Commerce et de l'Industrie, Étienne Clementel, l'a sollicité, Monet n'hésite pas à son tour à obtenir certaines facilités pour son travail : « Vous allez me trouver bien ennuyeux, mais je vais avoir à vous demander un nouveau service très important puisqu'il s'agit du transport de grands châssis et de toiles que j'ai commandés et que le chemin de fer refuse de prendre comme bagage ainsi qu'en expédition en grande vitesse et j'en suis très pressé ; il faudrait donc que vous puissiez obtenir une autorisation pour cela, je vous en serais bien reconnaissant, mais est-ce possible[43] ? » Autre demande, plus dramatique, Monet n'a plus de peinture : « Une chose grave m'arrive, mon marchand de couleurs [...] m'informe que manquant d'huile il ne pourra plus me fournir ; il me demande de m'adresser à vous pour lui en procurer. Est-ce possible ? Oui, j'espère, autrement me voilà obligé de m'arrêter court[44]. » Pour autant, Monet ne reste pas insensible à la guerre qui perdure et aux attaques allemandes qui tentent de percer le front allié à l'été 1918 : « Quelle vie angoissante nous vivons tous. Je continue, et j'avoue en avoir un peu de honte, à travailler bien que par moments j'aie envie de tout planter là et j'en suis parfois à me demander ce que je ferais si une nouvelle surprise des ennemis survenait[45]. »

Monet poursuit sa quête. Il ne cesse de travailler, conscient qu'il est de son âge, de ses faiblesses et de l'œuvre qu'il veut laisser : « Moins que jamais je ne peux distraire un moment de la peinture ; je n'ai plus longtemps à vivre et il me faut consacrer tout mon temps à la peinture avec l'espoir d'arriver à faire quelque chose de bien, à me satisfaire si possible[46]. » Et d'avouer la quête impuissante de tout grand artiste : « Je cherche l'impossible[47]. »

*

Le 6 octobre 1918, la nouvelle arrive : l'Allemagne a fait parvenir au président américain Wilson une demande d'armistice et de paix sur la base des quatorze points que Wilson avait développés devant le Congrès américain en janvier 1918, conditions de la paix. Néanmoins, les tensions montent alors entre les Alliés. Réunis à Paris pour un Conseil suprême interallié, les Premiers ministres anglais, Lloyd George, italien, Orlando, et français, Clemenceau, sont mécontents que Wilson ne les consulte même pas. Au même moment, Clemenceau menace de démissionner quand Poincaré semble lui reprocher de ne pas vouloir une victoire totale et de chercher un accord avec l'Allemagne qui couperait « les jarrets à nos troupes ».

De son côté, Foch prépare une grande offensive pour le 15 novembre sur le front de Lorraine. Fin octobre, Ludendorff propose, en dépit de ses échecs, de poursuivre la guerre et de rompre les pourparlers d'armistice. Le 26 octobre, le kaiser Guillaume II lui demande alors sa démission. Le même jour, Foch transmet à Clemenceau la liste des conditions militaires essentielles avant tout armistice, notamment l'évacuation des régions envahies et de l'Alsace-Lorraine dans les quatorze jours. Du 29 octobre au 4 novembre, les chefs alliés sont réunis à Paris, avec l'envoyé spécial du président Wilson, le colonel House, pour discuter des conditions de l'armistice. Le 5 novembre, les Alliés transmettent à l'Allemagne une note récapitulant les accords trouvés entre les Alliés après ces quelques jours de négociations, à savoir les quatorze points de Wilson et les conditions de Foch.

Le 9 novembre, des plénipotentiaires allemands rencontrent en forêt de Rethondes le maréchal Foch. La délégation allemande tente encore de négocier. En vain. Foch ne négocie pas. C'est à prendre ou à laisser. En même temps, la révolution a éclaté en Allemagne. L'empereur Guillaume II a abdiqué. Son fils a renoncé au trône. Le chancelier allemand a été renversé. Un gouvernement populaire a été institué, dirigé par un social-démocrate, Friedrich Ebert. Le 10 novembre, message du nouveau pouvoir aux plénipotentiaires allemands : l'armistice à tout prix. Dans la nuit du 10 au

11 novembre, les diplomates allemands obtiennent quelques modifications mineures des conditions d'armistice. Elles sont finalement acceptées à 5 heures du matin pour une entrée en vigueur à 11 heures.

Clemenceau ressent alors à cette nouvelle une intense émotion : « Ah !... Quand j'ai vu que c'était fini, qu'ils avaient signé, moi qui attendais cela depuis 50 ans — c'est long pour le cœur ! — je n'ai pu dire un mot, je me suis mis à pleurer... à pleurer[48]. » À ceux qui lui reprocheront de ne pas avoir continué la guerre pour envahir l'Allemagne, Clemenceau répondit clairement : « Je me serais cru déshonoré si j'avais fait durer cette guerre un jour de plus qu'il n'était besoin. J'ai fait la guerre à fond pour la faire durer le moins possible. Aux premières demandes d'armistice, j'ai failli devenir fou... Fou de joie !... C'était fini ! J'avais trop vu le front, moi. J'avais trop vu de ces espèces de trous pleins d'eau où les hommes vivaient depuis quatre ans[49]. »

Le 11 novembre 1918, à 16 heures, Clemenceau monte à la tribune de l'Assemblée nationale pour donner lecture des clauses de l'armistice. Près de cinquante ans après le lâche abandon auquel il s'était opposé, Clemenceau salue au nom de la France, une et indivisible, l'Alsace et la Lorraine retrouvées. Il rend honneur aux grands morts de la guerre et à ceux qui en reviendront : « Grâce à eux, la France, hier soldat de Dieu, aujourd'hui soldat de l'humanité, sera toujours le soldat de l'idéal. » Et Mordacq de décrire l'intense moment : « À ce moment, [...] les coups de canon ont scandé ses paroles. Ces coups retentissaient dans nos poitrines. Rien ne saurait décrire l'enthousiasme et les frissons sacrés qui ont secoué toute l'Assemblée, hémicycle et tribune, quand les députés ont entonné *La Marseillaise*. C'était d'une puissance, d'un élan magnifique. Oh ! la minute unique ! Ces voix mâles chantaient avec une foi ardente. Jamais *La Marseillaise* n'avait été chantée si juste, et toujours l'accompagnement du canon, du canon qui faisait vibrer, à la fois, la voûte proche des Invalides et l'airain plus lointain de la place Vendôme, du canon qui ponctuait aussi au-dehors les acclamations et les chants de la foule[50]. »

En près d'une année, Clemenceau a gagné la guerre. Il a refusé le désespoir. Il a obtenu le commandement unique des forces alliées. Il a remplacé les généraux défaitistes et a soutenu dans la tourmente l'effort de ceux qu'il a nommés et dont les chambres et le président de la République réclamaient la tête. Il a forcé les Alliés à le suivre. Il a accéléré l'engagement décisif des troupes américaines. Il a redonné le moral aux poilus par ses voyages nombreux au front et dans les tranchées. Il y a consacré un tiers de son temps. Il a rassemblé les Français autour de la République en guerre, dont il avait fixé le cap quarante années plus tôt, le 29 octobre 1880 à Marseille : « Délivrer l'homme de l'ignorance, l'affranchir du despotisme religieux, politique, économique et l'ayant affranchi régler par la seule justice, la liberté de son initiative ; seconder par tous les moyens possibles le magnifique essor de ses facultés ; accroître l'homme en un mot, en l'élevant toujours plus haut[51]. » Son énergie a payé. Il est le véritable artisan de cette victoire avec tous ses soldats morts, blessés ou non.

Dès la mi-novembre, Clemenceau parcourt l'Alsace et la Lorraine : « C'est tout un peuple qui ressuscitait dans un miracle d'apothéose, et ces enfants, à qui le français était interdit, soudain parlèrent français et ceux qui ne savaient pas parler français savent chanter *La Marseillaise* pour acclamer la patrie retrouvée. Et les vieux et les vieilles, qui n'avaient plus qu'un souffle, je les voyais lever leurs mains tremblantes, crier : "La France ! La France ! La France !..." Et le reste s'étranglait dans un sanglot. Voilà ce que nous avons vu. C'est la plus belle récompense qu'aient méritée les grands sacrifices de nos familles qui ne concevaient pas plus la France sans l'Alsace-Lorraine que l'Alsace-Lorraine n'acceptait d'être arrachée du sol français[52]. » Mais Clemenceau n'est pas dupe de la tâche qui l'attend maintenant : « Nous avons gagné la guerre et non sans peine ; maintenant, il va falloir gagner la paix, et ce sera peut-être le plus difficile[53] ! »

Du 18 janvier au 28 juin 1919, se tient à Paris la conférence de la paix. Vingt-sept pays sont représentés, mais quatre personnes dominent les discussions : Wilson pour les États-Unis, Lloyd George pour l'Angleterre, Orlando pour l'Italie et Clemenceau pour la France. Deux conceptions opposent déjà les Alliés : le réalisme des dirigeants européens face à l'idéalisme de l'Américain. De son côté, Clemenceau a trois priorités : la réintégration de l'Alsace-Lorraine, les réparations de guerre et la sécurité de la frontière avec l'Allemagne. Les discussions entre les Alliés sont tendues et houleuses, tant les positions sont divergentes. Wilson menace régulièrement de repartir et de signer une paix séparée avec l'Allemagne. Orlando démissionnera pour protester contre le sort réservé à Fiume et Lloyd George manque de rejeter l'accord final sous la pression de son opinion publique. En réalité, les intérêts sont profondément divergents. Alors que l'Italie ne défend que ses propres intérêts nationaux en cherchant à s'approprier de nouveaux territoires, l'Angleterre ne veut pas d'une prépondérance française en Europe. Quant aux Américains, ils cherchent à ménager l'Allemagne pour éviter qu'elle ne tombe dans le chaos et le communisme. D'où le sentiment amer de Clemenceau le 14 Juillet, alors qu'il est acclamé de toutes parts : « Et je me disais avec une amertume qui devint de la peine, puis de la détresse : Ils ne savent pas !... Ils ne sauront jamais toutes les défaites de la Victoire… le gâchis, les appétits, les idiots, les canailles, tout ce qu'on ne peut pas leur dire, tout ce que je sens, tout ce que je sais !... Alors, ils ne peuvent comprendre que je ne rie pas, que je ne crie pas, que je n'en puisse plus d'être parmi eux[54]. »

Déjà, Foch et Poincaré lui reprochent d'avoir perdu la paix. Refrain souvent repris par la suite, mais qui est démenti par la réalité des faits. Clemenceau n'avait pas gagné la guerre seul, il ne pouvait pas faire seul la paix. Outre les négociations qui révélèrent les égoïsmes nationaux, plusieurs facteurs ont contribué à l'échec de la paix de Versailles, comme le refus de la ratification du traité de Versailles par le Sénat américain et le fait de laisser la Russie en dehors du nouvel ordre mondial qui se dessine alors. Ensuite, l'état de l'Allemagne, vaincue et exsangue, et le démantèlement de l'Autriche-Hongrie ouvrent la porte aux nationalismes et revendications territoriales de toutes sortes. Clemenceau ne saurait être non plus tenu pour responsable de l'application du traité, ou plutôt de son non-respect dans les années 1920, période où il n'appartenait pas au gouvernement. Sans oublier les illusions et les lâchetés de certains des gouvernements dans les années 1930. Enfin, l'opinion publique des différents pays européens n'a jamais été dans le sens de l'apaisement ou de la paix, mais bien dans celui de la rancœur et de la haine. Tant de morts ne pouvaient être complètement oubliés. Pour ne pas parler des difficultés intérieures. Les questions économiques et financières deviennent de plus en plus préoccupantes. La France est exsangue. Un tiers de son territoire a été détruit. 1 300 000 de ses fils, les meilleurs, sont morts pour la France au combat. Les veuves et les mutilés défilent. Clemenceau accorde la journée de huit heures ; mesure de justice sociale, même si le pays a besoin de se reconstruire en travaillant. Les grèves ont repris. Clemenceau échappe même à un attentat le 19 février 1919. Un anarchiste, Eugène Cottin, tire sur lui à plusieurs reprises alors qu'il quitte son domicile de la rue Franklin, à Paris. Clemenceau n'est que blessé. Une balle dans l'omoplate droite. Certains ont eu une fausse joie. Le jeu parlementaire ayant repris, beaucoup de parlementaires, après avoir si longtemps supporté Clemenceau, ne seraient pas mécontents qu'il s'en aille. Et Clemenceau de raconter son retour à la Chambre après cet attentat manqué : « Je suis resté [chez moi] pendant huit jours avec une balle dans le dos. Après quoi je me suis levé, je suis allé à la Chambre — toujours avec ma balle. Les journaux ont raconté que, quand je suis entré dans la salle des séances, les députés ont applaudi. Or [...] sachez ceci : quand je suis entré il n'y a pas eu un applaudissement, pas un... Pas un applaudissement ! Voilà quels étaient les sentiments de la Chambre à mon endroit[55]. »

Ces sentiments vont se vérifier une année plus tard au moment de l'élection du nouveau président de la République. Tandis que Clemenceau avait fini par laisser faire, il est battu lors de la réunion préparatoire par Deschanel. Il refuse donc de continuer : « C'est fini, ma résolution est prise et bien prise. Rien ne m'en ferait changer. Je n'ai rien demandé ; je ne voulais pas être candidat et j'ai ri au nez de ceux qui ont commencé à m'en parler. Mes amis sont revenus à la charge, de tous côtés, à tous les moments. On m'a dit que c'était un devoir, que la situation était difficile... J'avais bien besoin de repos ; il y a des mois que j'attendais le moment où j'en pourrais prendre... Au fond, vous aviez raison : personne mieux que moi, je dois l'avouer parce que je le sens, ne peut agir sur les Alliés. Oui, la besogne de la paix n'est pas encore terminée, la tâche est plus rude que jamais... Malheur à ceux qui ne l'ont pas compris[56]. » Et le Premier ministre britannique Lloyd George de résumer la situation : « Cette fois-ci, ce sont les Français qui ont brûlé Jeanne d'Arc. »

Chapitre VII

LE RAYON DE SOLEIL
(1926-1929)

> « Et le diable m'emporte si, en arrivant au Paradis, je ne vous trouve pas un pinceau à la main. »
>
> GEORGES CLEMENCEAU
> à CLAUDE MONET

> « La France sera ce que les Français auront mérité. »
>
> GEORGES CLEMENCEAU

« Non ! Pas de noir pour Monet[1]. » Clemenceau arrache le drap noir qui recouvre le cercueil de Claude Monet. Il le remplace par un drap de fleurs qui se trouve à portée de main, « une cretonne ancienne aux couleurs des pervenches, des myosotis et des hortensias[2] ».

Trois jours plus tôt, le 5 décembre 1926, Monet s'est éteint vers midi dans sa maison de Giverny. Il souffrait d'une sclérose pulmonaire. Les dernières semaines, Clemenceau s'est rendu à plusieurs reprises au chevet de son vieil ami pour le « supporter » une dernière fois. Quelques instants avant qu'il ne meure, Clemenceau lui prend les mains pour savoir s'il souffre. « Non », répond Monet dans un souffle imperceptible. Le chagrin de Clemenceau est immense et terrible, la douleur réelle.

« Enterrez-moi comme si j'étais un brave homme du pays. Et soyez seuls, vous, mes parents, à marcher derrière ma dépouille. Je ne veux pas que mes amis connaissent la tristesse de m'accompagner ce jour-là... Surtout rappelez-vous bien que je ne veux ni fleurs ni couronnes. Ce sont là de trop vains honneurs. Et puis il serait vraiment sacrilège de saccager à cette occasion toutes les fleurs de mon jardin[3]. » Le jour de l'enterrement, après avoir ainsi recouvert d'un drap de fleurs le cercueil de son ami, Clemenceau suit le cercueil qui prend le chemin du cimetière. Son accablement est visible. À un moment donné, il s'arrête. Il est en pleurs. Il refuse de monter dans sa voiture ou de se faire aider. Il reprend sa marche. Arrivé au cimetière, face à la tombe, Clemenceau tient à assister à la descente du cercueil. Jusqu'au bout, il veut accompagner son vieux frère enragé.

Monet est mort entouré de ses *Grandes Décorations*, les seules de sa vie, les plus belles. Un hymne à la vie après tant de morts. Clemenceau n'avait pas eu le courage de les lui enlever. Désormais, il presse l'administration des Beaux-Arts d'agir. Dès le 26 décembre, Paul Léon est à Giverny avec l'architecte, Camille Lefèvre, et deux conservateurs des Musées nationaux, Jean Guiffrey et Charles Masson. Les dispositions du transfert sont fixées. Quelques jours plus tard, les panneaux arrivent dans la cour Visconti du Louvre pour y être photographiés. Sous la pression vigilante de Clemenceau, l'administration fait procéder au marouflage des toiles dans les premiers mois de 1927. Mi-mars, les panneaux sont définitivement installés à l'Orangerie. Le 16 mai, la veille de l'inauguration, Clemenceau visite enfin l'Orangerie, où il peut admirer l'installation des *Nymphéas* telle qu'il l'avait rêvée plus de quarante années plus tôt. Clemenceau fait lentement le tour des deux salles. Son émotion est vive, intense et palpable. Et de dire, profondément touché : « C'est admirable. »

En juin 1928, Clemenceau se rend à nouveau à

l'Orangerie pour revoir les *Nymphéas*. Sa déception est grande. Il se plaint, à juste titre, d'une « conspiration passive du silence, inconsciemment favorisée de l'insouciance administrative. Au pan coupé de la terrasse des Tuileries, une petite planche grise, un peu plus grande que le fond de mon chapeau, fait mine d'apprendre au public qu'il y a quelque chose là. À quelques pas plus loin le mois dernier, un gigantesque panonceau annonçait superbement une assemblée de chiens. Le public n'hésitait pas[4] ».

Triste réalité de l'indifférence et de l'inculture d'un public face à un don aussi exceptionnel, sans compter le désintérêt d'une administration qui laisse les salles dédiées à Claude Monet à l'abandon sans se soucier d'y faire venir le public. Au contraire, alors que les *Nymphéas* se meurent d'un côté, de l'autre vivent des expositions temporaires, l'Orangerie étant le seul lieu capable d'accueillir des expositions d'envergure à Paris avec le Petit Palais pendant l'entre-deux-guerres. À la Libération, tandis que la combativité de certains s'était tant fait attendre, cinq obus tombent dans les salles des *Nymphéas*, endommageant deux panneaux qui sont cependant rapidement restaurés. La survie était encore possible, mais c'était sans compter avec la désastreuse transformation de l'Orangerie dans les années 1960 pour accueillir la collection d'art moderne de Paul Guillaume, un marchand d'art. Le dispositif si difficilement établi par Monet à la grande patience des architectes et de l'administration des Beaux-Arts est tout simplement détruit. Le vestibule est rasé, les entrées multiples bouchées et, crime ultime, une dalle de béton fait écran à la lumière du jour, remplacée par une verrière lourdement quadrillée diffusant un éclairage de néons. L'accès direct est changé en un dédale improbable et invraisemblable d'escaliers. Et ce, pour aménager l'Orangerie selon les vues de la veuve de Paul Guillaume comme « une résidence privée de références classiques » avec une longue suite de salons sur toute la longueur de l'étage, et un escalier monumental à l'entrée. Le tout en béton. Bref, un véritable massacre. Comble de ce génie constructeur : en 1978 des fissures apparaissent et le bâtiment commence à s'enfoncer sous le poids du béton. Pourtant, grâce à l'action de conservateurs dévoués, dont Pierre Georgel, et d'un public fidèle et nombreux, des travaux sont enfin menés pour redonner toute leur lumière aux *Nymphéas*, et à l'Orangerie une architecture à sa mesure. Un nouveau remodelage du bâtiment est réalisé entre les années 2000 et 2006. Remodelage radical de l'Orangerie, mais pour une vraie révolution lumineuse et réussie. Un nouvel écrin de lumière, pour ce que le peintre André Masson considérait comme « la Sixtine de l'impressionnisme » ; ce qui était la moindre des choses pour le plus beau bouquet de fleurs jamais offert à la France.

*

Depuis la mort de Monet, Clemenceau partage sa vie entre sa maison sur la côte vendéenne face à la mer à Saint-Vincent-sur-Jard et Paris. Il est à nouveau tombé amoureux. Elle s'appelle Marguerite Baldensperger. Ils ont quarante ans de différence. Elle est tristement marquée par le décès récent de sa fille. Leur serment : « Mettez votre main dans la mienne. [...] Je vous aiderai à vivre et vous m'aiderez à mourir. Tel est notre pacte. Embrassons-nous[5]. » Il a cessé de voyager à l'étranger depuis son dernier déplacement aux États-Unis en novembre et décembre 1922. Il se refuse à écrire ses Mémoires et préfère la philosophie. Et rappelle son attachement à la Grèce antique : « La Grèce est quelque chose de fou. [...] Il faut passer par la Grèce pour passer n'importe où. Je crois que l'humanité a atteint là son sommet. [...] Quand j'étais un peu las de toutes ces âneries et de tout ce néant de quoi la politique est faite, je me tournais vers la Grèce. [...] Rien au-dessus d'Eschyle. Rien au-dessus de Platon. Rien au-dessus de Socrate[6]. » Il publie *Au soir de la pensée*. Il y réaffirme la force de l'individu : « Le vrai civilisé sera celui qui saura se maîtriser, s'ordonner pour consacrer toujours plus de lui-même à l'œuvre qui le dépasse, sans rien attendre ni des hommes ni des dieux[7]. » Il n'intervient plus dans le débat public, même s'il fulmine contre la politique d'abandon menée par les gouvernements successifs. Seule exception : il écrit au nouveau président des États-Unis en août 1926 alors que la France traverse une grave crise financière et monétaire. En effet, les Américains exigent le règlement des dettes de guerre françaises et anglaises, tout en refusant d'intervenir pour que l'Allemagne règle de son côté les réparations de guerre. Clemenceau dénonce une affaire mercantile au regard des valeurs défendues en commun. Il n'aura pas de réponse. Et le gouvernement américain restera intransigeant.

Mais c'est un autre événement qui réveille le vieux Tigre endormi : l'ingratitude publique de Foch. Ce dernier est mort le 20 mars 1929. Un livre largement inspiré par Foch sort quelques semaines plus tard. Il reprend ce que Foch répète partout depuis 1919 : Clemenceau a perdu la paix, notamment parce qu'il n'a pas réclamé l'annexion de la Rhénanie. Dans un premier temps, Clemenceau ne veut pas « polémiquer avec un cercueil ». Comme il l'avait dit au moment de la mort de Foch : « Foch a eu de grandes heures : je ne l'oublie pas ; je ne l'oublierai jamais. Mais il a fait un certain nombre de choses qui ont cassé tous liens entre lui et moi. » Et puis, ayant lu le livre, c'est le déclic : « J'étais mort. Ils m'ont ressuscité. » Et Clemenceau d'écrire pendant les derniers mois qu'il sait lui rester à vivre *Grandeurs et misères d'une victoire*, dans lequel il rappelle entre autres quelques vérités à Foch, comme son sanglant échec au Chemin des Dames, le soutien salutaire de Clemenceau au même moment devant le Parlement qui réclame sa tête, et son placement puis son maintien à la tête des armées alliées. Sans oublier le fait que tous les Alliés étaient opposés à l'annexion de la Rhénanie pour éviter de reproduire une autre Alsace-Lorraine.

« Je veux être enterré au Colombier à côté de mon père. Mon corps sera conduit de la maison mortuaire au lieu d'inhumation sans aucun cortège. [...] Ni manifestation, ni invitation, ni cérémonie. Autour de la fosse, rien qu'une grille de fer, sans nom, comme pour mon père. » La simplicité et la sobriété avant tout, comme Monet : « Quel étrange besoin de vouloir survivre à tout prix dans la mémoire d'hommes à qui nous sommes indifférents[8]. » Le dimanche 24 novembre 1929, Clemenceau meurt dans son appartement de la rue

Franklin, à Paris. Conformément aux termes de son testament, il n'y a ni discours ni cérémonie officielle : « Vous ne voyez pas Millerand avec sa ligue et Poincaré avec sa serviette, en rang d'oignons, derrière mon cercueil. Je serais capable de revenir à moi. Tout serait à recommencer. » Dans son cercueil, à ses côtés, sa vieille canne à pomme de fer, un petit livre de sa mère et deux bouquets de fleurs desséchés qui lui avaient été offerts par des poilus en juillet 1918 aux monts de Champagne. Il est enterré à côté de son père, témoignage de son admiration jamais démentie. Contrairement à la légende, Clemenceau n'est pas enterré debout. Mais c'est ainsi qu'il a vécu, en homme libre : « Je suis ce que j'étais. Qualités et défauts tout au service de la patrie, dans le désintéressement des honneurs, des grades dûment rentés qui font poids aux balances du succès. Personne qui eût le pouvoir de m'attribuer des récompenses. C'est une force de n'attendre rien que de soi[9]. »

*

Mais avant de mourir, Clemenceau a tenu à rendre un hommage particulier à son vieil ami. En 1928, il publie *Claude Monet. Les Nymphéas*. Un essai mêlant quelques souvenirs et de nombreuses réflexions sur la peinture de Monet. L'amitié entre Georges Clemenceau et Claude Monet a été exceptionnelle, rencontre rare entre un artiste et un homme politique. Clemenceau admire sincèrement le peintre, plaçant l'artiste bien au-dessus du politique, comme le prouve l'interpellation de Clemenceau à un célèbre pianiste et compositeur :

« C'est bien vous, M. Paderewski, le grand musicien ? — C'est bien moi ! — Et dire que maintenant vous n'êtes plus que M. Paderewski, le président du Conseil de la République polonaise. Quelle déchéance[10] ! »

La relation de Monet et de Clemenceau se nourrit d'une admiration réciproque. Monet pour l'énergie de Clemenceau ; Clemenceau pour la force créatrice de Monet. Elle se nourrit également d'une opposition. Celle de l'Impressionnisme et de la République contre les conservatismes et les conformismes. Deux aventures qu'ils ont menées, l'un et l'autre, comme chefs de file. Imposant un mouvement esthétique que beaucoup, à juste titre, considèrent comme une nouvelle Renaissance. Française, celle-là. Et bataillant pour asseoir la République sur des principes et des valeurs fondés sur la liberté intégrale de l'individu. Deux aventures dont nous sommes les enfants gâtés. Une force créatrice qui fait souffler un vent de liberté sans précédent avec une esthétique intime et merveilleuse qui ouvre grand les portes de la peinture moderne. Une liberté d'expression que seule la République garantit avec l'école gratuite, laïque et obligatoire qui transforme l'individu en conscience.

Ensemble, ils vont poursuivre la même quête, celle de la lumière. Clemenceau est éclairé par Monet. Il a besoin de la lumière de Monet. Pour comprendre l'esprit, l'homme, la vie. « Peignez », « travaillez » : Clemenceau lance ses mots d'ordre à Monet pour mieux vivre. Et Monet, à la fin de sa vie, s'accroche à l'énergie de Clemenceau qui le fait survivre lui aussi. Qui l'entraîne. Qui le sauve de lui-même et qui le consacre. Monet a toujours eu besoin d'un soutien. Ce furent Bazille,

Pissarro, Renoir, Cézanne, Paul Durand-Ruel, Mallarmé, Octave Mirbeau, Gustave Geffroy et Clemenceau. Et ce, pour mieux affronter l'angoisse, la solitude et le doute face à son œuvre. Mais de tous ceux qui l'ont soutenu, c'est avec Clemenceau qu'il a noué une amitié particulièrement fraternelle et familière. Monet n'a jamais été déçu par Clemenceau : « Jamais il ne m'a manqué quand j'ai eu besoin de lui. On connaît ses interventions décisives, en faveur de l'*Olympia* de Manet par exemple... Je suis si sûr de son aide que j'ose à peine le solliciter[11]. » Il y a dans l'amitié de Clemenceau une dimension profondément humaine et bourrue. Entre lui et Monet : « De l'amitié et des engueulades. [...] C'est de ça qu'est faite ma vie. Je ne peux pas aimer quelqu'un sans l'engueuler. J'ai toujours eu pour Monet de la considération. D'abord, nous avons vécu l'un et l'autre sur deux plans, nous ne nous sommes jamais heurtés, jamais combattus. Il n'y a eu entre nous aucune jalousie ni aucune rivalité. Et puis il a fait juste la peinture que j'aurais voulu faire si j'avais été peintre, — de la peinture entêtée, obstinée[12]. »

Cette familiarité est aussi due à leur âge et au fait qu'ils ont longtemps survécu après que leurs amis et familles respectifs eurent disparu. L'un et l'autre, de la même génération, restaient comme les derniers Mohicans d'une même famille de goût et d'esprit. Très tôt, Clemenceau avait été sensibilisé aux arts par son père : « À n'en pas douter, [il] lui donna le goût de l'art qui n'a fait que croître en lui. Benjamin Clemenceau aimait les arts, non pas seulement parce qu'il avait joué du violon aux bals et aux soirées à l'époque de ses fiançailles, mais il s'était adonné surtout au dessin, à la peinture, à la lithographie, au modelage. Éduqué par les leçons d'un excellent professeur de Nantes, il s'amusa de copies de peintures de Greuze, de croquis d'après nature, qui ont gardé le souvenir des grâces fugitives des années 1830 à 1840. Il prouvait sa vocation de peintre et la véracité de sa vision par le portrait de son fils Georges à l'âge de dix ans, où il y a le sens de la force et de l'expression, la justesse de la couleur sobre, l'observation juste d'un visage de garçonnet empreint d'une douceur enfantine[13]. » Ensuite, pendant sa jeunesse parisienne, Clemenceau fréquente les milieux artistiques, surtout lors des réunions de jeunes républicains à l'atelier Delestre. C'est à cette époque qu'il rencontre Zola, Monet et Manet. Par la suite, il y eut Octave Mirbeau et Nadar, qui travaille alors pour son journal *La Justice*. Gustave Geffroy, enfin, et surtout. Ce dernier l'introduit réellement dans les milieux artistiques, dans les salons. Il lui fait renouer les fils de son amitié avec Claude Monet. Sujet de plusieurs tableaux, dont ceux de Manet et de Raffaelli, Clemenceau a également écrit des articles sur le sujet, tel celui, fameux, des *Cathédrales* de Monet. Il fréquente aussi régulièrement les musées, notamment le Louvre et Guimet. Il possède une magnifique collection de *kogos* (boîtes à encens) japonais et s'intéresse à la culture chinoise. Très tôt, il a défendu la peinture des impressionnistes, avec celui qui fit de la lumière avec du noir, l'admirable Manet : « Je revois, en revoyant l'*Olympia* ici [...] une des scènes les plus déshonorantes provoquées par les ennemis de l'Impressionnisme. C'était en 1885, l'*Olympia* avait été reçue au Salon parce que le jury espérait des réactions scandaleuses du public, ce qui aurait fait son affaire. Nous, les amis fervents de Manet, avions pris des mesures de protection. Chacun à son tour se tenait en sentinelle devant le tableau. Une tempête de fureur soufflait, et on vomissait des injures les plus grossières. J'étais justement posté devant l'*Olympia* quand je vis un homme gros et fort, un rustre à la mine fleurie, s'approcher. Avec une science remarquable, il ramassa sa salive et lança un crachat qui s'étala sur le visage d'Olympia. Je me jetai sur lui et tu penses que jamais soufflet plus vigoureux, plus consciencieux, n'a été appliqué. Il s'ensuivit, bien sûr, un duel. Mais c'est qu'après que j'eus écorché le bonhomme qu'on raconta l'histoire à Manet. Et une fête folle, comme seul un atelier de Montmartre en connaît la splendeur, a consacré mon exploit[14]. » Bref, Clemenceau est un réel amateur d'art ; loin d'une posture, si peu conforme à son caractère. Clemenceau était un vrai intellectuel épris de culture, de littérature et de peinture. À cet égard, les familiers de Clemenceau appartiennent autant aux cercles artistiques qu'aux cercles politiques. Et dans ses liens avec les artistes, la politique est absente. Enfin, pour Clemenceau, l'art nourrit aussi l'âme de la France, mais est également pour lui une des formes essentielles de l'émancipation de l'individu.

De son côté, Monet a une obsession : la peinture. Ce qui ne l'empêche pas pour autant d'être attentif à son environnement. Même si la politique n'a jamais été son principal centre d'intérêt, il lit régulièrement la presse, est abonné à différentes revues, fréquente les milieux importants de la capitale et entretient des relations et des amitiés avec nombre de personnes haut placées dans les milieux culturels et politiques. À cet égard, les auteurs de sa bibliothèque démontrent bien sa curiosité intellectuelle : Aristophane, Berlioz, Cervantès, Chateaubriand, Corneille, Dante, Delacroix, Dostoïevski, Gorki, Heine, Homère, Ibsen, Kipling, La Fontaine, Lamartine, Lucrèce, Michel-Ange, Michelet, Molière, Montaigne, Pascal, Pétrarque, Poe, Ruskin, Sainte-Beuve, Saint-Simon, Shakespeare, Mme de Staël, Stendhal, Tacite, Tchekhov, Tolstoï, Voltaire[15]. Les affinités intellectuelles de Monet et de Clemenceau sont évidentes ; ce qui facilite aussi les liens d'une amitié née dans l'agitation républicaine. Sans oublier qu'ils étaient tous les deux athées et ont exigé l'un et l'autre un enterrement civil ; même si Monet céda quelquefois à Alice la catholique.

Ils partageaient encore d'autres passions, comme les jardins et les fleurs. Ils s'échangeaient des conseils et montraient fièrement leur jardin de Giverny, de Bernouville ou de Saint-Vincent-sur-Jard. Sans oublier non plus les automobiles et la vitesse. Clemenceau multipliait les visites en voiture quand il était dans sa propriété de Bernouville, à quelques dizaines de kilomètres de Giverny. Quant à Monet, son plaisir était de circuler en famille à toute vitesse sur les routes des alentours de Giverny. Autre point commun : Clemenceau et Monet fuyaient les mondanités comme les cérémonies officielles et refusaient les honneurs, médailles, décorations ou sièges aux académies. Ils partageaient le goût du travail et de l'effort qui plongea souvent Monet dans des abîmes de découragement et de rage destructrice, lui qui était si perfectionniste avec ses tableaux. Plus de deux mille tableaux sont catalogués à ce jour. Une œuvre immense. Enfin, ils avaient tous les deux du caractère, et mauvais caractère, à tel point que Clemenceau nommait Monet le « roi des grincheux ». Pour Clemenceau, Monet « était un chic bonhomme, qui n'était jamais content de lui, et qui savait pourtant ce qu'il valait, — il trouvait le moyen de concilier ces deux choses-là. Je l'ai connu dans les mauvaises heures, dans les bonnes[16] ». Et les deux frères enragés de finir par se ressembler au soir de leurs vies : même fougue, même audace, même entêtement, même lyrisme aussi. Et même jeunesse de caractère : « Il n'y a pas de vieillesse : on n'est vieux qu'à partir du moment où l'on prend son parti d'être vieux. La vérité, c'est que vous êtes tous là à chercher le moindre prétexte pour vous tourner les pouces ; et la vieillesse en est un, et elle n'est que cela[17]. » De l'action, toujours de l'action pour Clemenceau, comme pour Monet. Tous les deux poursuivaient un but au service duquel ils s'étaient engagés tout entiers : « L'artiste a vécu un moment supérieur de l'art et, par là même, de la vie. [...] Mais c'est l'être humain que je cherche au-delà de l'artiste, l'homme qui, livré tout entier à ses impulsions les plus hautes, a osé regarder en face les problèmes de l'univers pour les aborder ensemble et les fondre dans le bloc esthétique d'une sensibilité affirmée, sous l'impulsion d'une énergie de vouloir que rien n'a pu faire dévier, je prends le ciel à témoin qu'un tel accomplissement n'est pas de l'ordinaire[18]. »

Enfin, l'admiration que porte Clemenceau à Monet est exceptionnelle aussi. Clemenceau est littéralement fasciné par l'œil de Monet et la force créatrice qui s'en dégage : « Deux yeux d'acier noir, fermement enchâssés dans le mortier des orbites, mitraillaient tout le champ de l'espace, pour ouvrir aux visions humaines un spectacle de trépidations lumineuses en voie de rapprocher de plus en plus, dans l'unité de la sensation, ce qui est et ce qui paraît être[19]. » L'œil de Monet, de l'immensité de l'embouchure de la Seine au Havre à l'intimité du bassin aux nymphéas à Giverny, a su voir et révéler ce que Clemenceau ne distinguait pas avec ses seuls yeux : une nature, une lumière, un monde en soi. « Un jour, je disais à Monet : C'est humiliant pour moi. Nous ne voyons pas du tout les choses de la même façon. J'ouvre les yeux et je vois des formes, des nuances de colorations, que je tiens jusqu'à preuve du contraire pour l'aspect passager des choses comme elles sont. Mon œil s'arrête à la surface réfléchissante et ne va pas plus loin. Avec vous c'est une autre affaire. L'acier de votre rayon visuel brise l'écorce des apparences et vous pénétrez la substance profonde pour la décomposer en des véhicules de lumières que vous recomposez du pinceau, afin de rétablir subtilement, au plus près de sa vigueur, sur nos surfaces rétiniennes l'effet des sensations. Et tandis qu'en regardant un arbre, je ne vois rien qu'un arbre, vous, les yeux mi-clos, vous pensez : "Combien de tons de combien de couleurs aux transitions lumineuses de cette simple tige ?" Sur quoi, vous voilà désagrégeant toutes valeurs pour reconstituer et développer, à notre intention, l'harmonie finale de l'ensemble. Et vous vous tourmentez, à la recherche de la pénétrante analyse qui vous donnera la meilleure approximation de la synthèse interprétative. Et vous doutez de vous-même, sans vouloir comprendre que vous êtes lancé en projectile dans la direction de l'infini, et qu'il doit vous suffire d'approcher du but que vous n'atteindrez jamais complètement... » Et Monet de lui confirmer : « Vous ne pouvez pas savoir combien tout ce que vous venez de dire est véritable. C'est la hantise, la joie, le tourment de mes journées[20]. »

Pourtant, Monet n'a jamais théorisé sa peinture : il « n'eut jamais de poétique ni de théorie d'aucune sorte. [...] Il tint pour vrai ce que lui révélait sa vision et s'appliqua avec un effort inlassable à la reproduire telle qu'il la voyait. Rien de moins. Rien de plus ». En juin 1926, Monet écrit : « J'ai toujours eu horreur des théories [...] je n'ai que le mérite d'avoir peint directement devant la nature en cherchant à rendre mes impressions devant les effets les plus fugitifs[21]. » Il a ouvert à Clemenceau des horizons comme aucun autre : « Monet, de tous les hommes que j'ai connus, est peut-être celui qui m'ouvre à moi le plus d'aperçus de toutes sortes. Le voilà, n'est-ce pas : il est devant la lumière, il prend la lumière, il la brise, il la résout. Scientifiquement, il n'y a rien de plus intéressant[22]. »

Il n'y a pas simplement un œil, il y a aussi un combat auquel Clemenceau est sensible : « Monet a pris la vie comme on se bat... [...] C'est une des formes du courage et de la puissance. Le premier devoir est de se connaître et de se limiter à son terrain d'action. Il a pris la lumière. C'est pas mal[23]. » C'est pourquoi il écrit au soir de sa vie ce livre sur Monet, ultime témoignage laissé à la postérité de leur amitié : « Voilà ce que j'ai envie de raconter, ce combat — ce combat qui s'est terminé à la fois par une victoire, parce qu'il laisse derrière lui une œuvre énorme, avec des choses splendides, et par une défaite, parce que dans ce domaine-là, il n'y a pas d'issue[24]. »

L'impressionnisme a été un combat, mais également une véritable Renaissance. La peinture française s'était éteinte, comme Renoir en témoigne : « À part les Delacroix, les Ingres, les Courbet, les Corot qui avaient poussé miraculeusement après la Révolution, la peinture était tombée dans la pire banalité : tous se copiaient les uns les autres en se fichant de la nature comme d'une pomme[25]. » Avec leur esthétisme, Monet et ses amis ouvrent les voies infinies de la peinture moderne, ce que confirme à juste titre Apollinaire : « La France a produit au XIXe siècle les mouvements artistiques les plus variés et les plus nouveaux, qui, tous ensemble, constituent l'impressionnisme. Cette tendance est le contrepoint de l'ancienne peinture italienne basée sur la perspective. Si ce mouvement dont on peut déjà noter les origines au XVIIIe siècle semble se limiter à la France, c'est parce qu'au XIXe siècle Paris était la capitale de l'art. [...] Les plus grands noms de la peinture moderne, de Courbet à Cézanne, de Delacroix à Matisse, sont français. [...] La France joue le rôle que l'Italie a joué pour la peinture ancienne[26]. » En effet, Monet ne représente pas une simple rupture faisant table rase du passé. Au contraire, il revendique une continuité avec la peinture française des Boucher, Fragonard et Watteau ; ce que Pissarro affirmait justement : « le XVIIIe siècle est notre tradition[27] » ; et que confirme Clemenceau lors d'une visite au Louvre avec Monet : « Un jour, passant avec Monet devant cet immortel chef-d'œuvre [*Un enterrement à Ornans* de Courbet], je lui disais : "Eh bien, moi, si après tout ce que nous venons de voir, on me permettait d'emporter une toile, ce serait, c'est celle-ci que je choisirais. — Et moi [...] ce serait *L'embarquement pour Cythère* [de Watteau]." Ainsi voilà le chef de l'école dénoncée avec tant de virulence par la critique officielle comme le négateur de l'art, qui se classe, avant tout, parmi les fidèles de la lumière éthérée de Watteau, qu'il rejoint en souriant, sous des torrents d'injures[28]. » C'est quand le sujet change que dans l'histoire de l'art se produisent les grandes ruptures esthétiques qui conduisent à de nouvelles écoles. De nouveau, le regard se porte sur le sujet, qu'auparavant le regard ne voyait plus.

Enfin, il y a une dimension très française dans la peinture de Monet : « La campagne de Monet tenait sa richesse de sa variété : à la fois sauvage et domestiquée, des paysages dramatiques de mer et de rochers alternant avec des compositions à base de peupliers ondulants et de meules majestueuses. La France offrait, dans une lumière radieuse et bienveillante, un spectacle à couper le souffle, celui d'un pays rendu fertile par la main de l'homme. [...] Il y avait de la grandeur, une grandeur due aux petites gens qui avaient mis le sol en valeur et recueilli ses fruits[29]. »

Dans la dernière année de sa vie, Clemenceau, choqué par l'attaque inattendue et posthume de Foch à son encontre, avait décidé de brûler tous les papiers qu'il avait, correspondances, documents, notes. Dans ces papiers, se trouvaient notamment les lettres de Monet. Ainsi furent brûlés les témoignages d'affection et d'admiration de Monet pour Clemenceau. Quelques courtes lettres subsistent néanmoins, grâce au secrétaire de Clemenceau, Jean Martet, qui a réussi à sauver une infime partie de la correspondance, dont ce témoignage écrit le 19 septembre 1918 : « Mon Cher et grand ami, Comme je voudrais vous embrasser et vous dire combien je suis très fier de votre amitié. Vous êtes un homme admirable auquel nous devons la prochaine et complète victoire. Comme vous devez être fier, mon vieil ami, de votre vaillance. Voilà plus d'une année que nous nous sommes vus, mais j'espère venir à Paris bientôt et je compte bien vous demander, sinon une audience, tout au moins quelques instants pour vous dire tout ce que j'éprouve et vous serrer dans mes bras, car vous êtes notre sauveur et c'est par vous que poilus et civils tiennent le coup. Madame Blanche et moi, nous vous embrassons de tout cœur. Votre vieil ami, Claude Monet[30]. »

L'amitié de Clemenceau et de Monet s'est nourrie de deux lumières au service d'une certaine idée de la France. Celle de la République et celle de l'Impressionnisme. Liberté de créer, liberté de vivre. Et Monet, qui est l'artiste qui a le plus peint de drapeaux français, d'inscrire sur l'un d'eux en lettres d'or : « Vive la République »…

REMERCIEMENTS

Ce livre est le fruit d'une passion jamais déçue depuis mon enfance pour les musées en France et à l'étranger, des plus confidentiels aux plus grands. C'est donc à tous ces conservateurs, administrateurs, gardiens et personnels des musées, qui font vivre leurs musées, assurent la conservation et la mise en valeur de leurs collections et rendent accessibles les œuvres capitales de l'humanité au plus grand nombre possible, à qui je voudrais témoigner ma reconnaissance et mon admiration fidèle et sincère.

Je tiens également à remercier tous ceux qui entretiennent la mémoire et l'œuvre de Claude Monet et de Georges Clemenceau, notamment en assurant la vie et l'entretien des lieux de leur mémoire (Giverny, Saint-Vincent-sur-Jard, rue Franklin).

Je n'oublie pas ce que je dois encore et toujours à l'école obligatoire, gratuite et laïque, mais aussi catholique ; avec mes professeurs de l'école primaire de Rocquencourt, du collège et lycée Passy-Buzenval des frères des écoles chrétiennes et de Sciences-Po Paris.

Je souhaite également marquer ma particulière reconnaissance à celles et ceux qui m'ont apporté leur soutien et leurs encouragements, notamment à mes amis Jérémie Papin, le plus intelligent d'entre nous, et François-Xavier Demaison, le plus fédérateur, avec lesquels nous

271

avions fondé à Sciences-Po le Club Voltaire, sorte de club républicain, à Philippe Lucet pour ses livres sur Clemenceau, témoignage discret de son soutien fidèle, à Philippe Le Tendre pour son amicale bienveillance lors de nos déjeuners réguliers, à David Di Nota et à Vincent Ponsonnaille pour m'avoir veillé de leur amitié pour ce nouveau livre et à ma très chère belle-sœur, Laure Mancier, pour son soutien attentif et indéfectible.

Je n'oublie pas également le camarade Philippe Sollers, pour sa confiance renouvelée, pour subir d'une même et heureuse humeur mes idées et initiatives farfelues et pour être dans ce monde souvent en quête de lui-même une boussole d'intelligence, de finesse et de sensibilité rare.

Je tiens aussi à remercier très sincèrement tous ceux chez Gallimard qui ont participé à l'élaboration, la fabrication et la diffusion de mon premier livre et de celui-ci, et qui m'ont toujours témoigné beaucoup d'attention, de gentillesse et de disponibilité.

À ma famille, et particulièrement à mes parents et mon grand-père, qui me portent un amour indéfectible sans lequel ma vie ne serait pas si heureuse.

À ma femme, France, à mes enfants, Paul, Margaux et Côme, et à mon filleul, Guillaume, qui me supportent de leur amour, de leur tendresse et sans qui ma vie n'aurait pas le même sens.

Last but not least, à la France et son peuple.

APPENDICES

NOTES

CHAPITRE PREMIER

« COMME UN BOUQUET DE FLEURS OFFERT À LA FRANCE »

1. *Georges Clemenceau à son ami Claude Monet. Correspondance*, Éd. de la Réunion des musées nationaux, 2008, p. 63.

2. Sacha Guitry, *Cinquante ans d'occupations*, Omnibus, 1998, p. 461.

3. Daniel Wildenstein, *Monet, vie et œuvre*, lettre n° 2290, Lausanne-Paris, Bibliothèque des arts, 1974-1992, 5 vol., t. IV, 1985, p. 401.

4. Georges Clemenceau, *Claude Monet. Les Nymphéas*, Plon, 1928, p. 58-59.

5. Georges Wormser, *Clemenceau vu de près*, Hachette Littérature, 1979, p. 165.

6. G. Clemenceau, *Claude Monet. Les Nymphéas*, *op. cit.*, p. 77-78.

7. Michel Hoog, *Les Nymphéas de Claude Monet au musée de l'Orangerie*, Éd. de la Réunion des musées nationaux, 1984, p. 33.

8. Cité *in* M. Hoog, *Les Nymphéas de Claude Monet*, *op. cit.*, p. 35.

9. Georges Clemenceau, *Claude Monet*, Perrin, 2000, p. 115.

10. M. Hoog, *Les Nymphéas de Claude Monet, op. cit.*, p. 38.

11. D. Wildenstein, *Monet, vie et œuvre, op. cit.*, n° 2324, t. IV, p. 403.

12. *Id., ibid.*, n° 2327, t. IV, p. 403.

13. *Id., ibid.*, n° 2306, t. IV, p. 403.

14. *Id., ibid.*, n° 2328, t. IV, p. 402.

15. Jean-Baptiste Duroselle, *Clemenceau*, Fayard, 1988, p. 857.

16. Cité *in* Pierre Georgel, *Le cycle des Nymphéas*, Éd. de la Réunion des musées nationaux, 1999, p. 225.

17. René Gimpel, *Journal d'un collectionneur, marchand de tableaux*, Calmann-Lévy, 1963, p. 68.

18. Article de Thiébault-Sisson dans *Le Temps* du 14 octobre 1920, cité *in* M. Hoog, *Les Nymphéas de Claude Monet, op. cit.*, p. 38.

19. Article de H. Verne dans *Le Monde illustré* du 23 octobre 1920, *in* M. Hoog, *Les Nymphéas de Claude Monet, op. cit.*, p. 38-39.

20. Article de Jean Villemer dans *Le Gaulois* du 16 octobre 1920, *in* M. Hoog, *Les Nymphéas de Claude Monet, op. cit.*, p. 38.

21. D. Wildenstein, *Monet, vie et œuvre, op. cit.*, n° 2398, t. IV, p. 408.

22. Daniel Wildenstein, *Monet ou Le triomphe de l'impressionnisme*, Taschen, 2003, p. 415.

23. *Id., ibid.*, p. 417.

24. D. Wildenstein, *Monet, vie et œuvre, op. cit.*, n° 2406, t. IV, p. 409.

25. *Georges Clemenceau à son ami Claude Monet, op. cit.*, p. 87-88.

26. D. Wildenstein, *Monet, vie et œuvre, op. cit.*, n° 2422, t. IV, p. 410.

27. Cité *in* M. Hoog, *Les Nymphéas de Claude Monet, op. cit.*, p. 40-41.

28. D. Wildenstein, *Monet, vie et œuvre, op. cit.*, n° 2426, t. IV, p. 410.

29. *Id., ibid.*, n° 2385, t. IV, p. 407.

30. *Id., ibid.*, n° 2378, t. IV, p. 407.

31. *Id.*, *ibid.*, n° 2458, t. IV, p. 412.

32. Cité *in* M. Hoog, *Les Nymphéas de Claude Monet*, *op. cit.*, p. 108.

33. D. Wildenstein, *Monet, vie et œuvre*, *op. cit.*, n° 2470, t. IV, p. 413.

34. *Id.*, *ibid.*, n° 2472, t. IV, p. 413.

35. Cité *in* M. Hoog, *Les Nymphéas de Claude Monet*, *op. cit.*, p. 108.

36. D. Wildenstein, *Monet, vie et œuvre*, *op. cit.*, n° 2477, t. IV, p. 413.

37. Cité *in* M. Hoog, *Les Nymphéas de Claude Monet*, *op. cit.*, p. 40.

38. Cité in *id.*, *ibid.*, p. 41.

39. *Georges Clemenceau à son ami Claude Monet*, *op. cit.*, p. 101.

40. D. Wildenstein, *Monet, vie et œuvre*, *op. cit.*, n° 2494, t. IV, p. 414.

41. *Georges Clemenceau à son ami Claude Monet*, *op. cit.*, p. 101.

42. Paul Léon, *Du Palais-Royal au Palais-Bourbon*, Albin Michel, 1947, p. 195-196.

43. D. Wildenstein, *Monet, vie et œuvre*, *op. cit.*, n° 2504a, t. IV, p. 415.

44. *Id.*, *ibid.*, n° 2505, t. IV, p. 415.

45. *Georges Clemenceau à son ami Claude Monet*, *op. cit.*, p. 110.

46. D. Wildenstein, *Monet, vie et œuvre*, *op. cit.*, t. IV, p. 423.

47. *Id.*, *ibid.*, n° 2517, t. IV, p. 415.

48. *Georges Clemenceau à son ami Claude Monet*, *op. cit.*, p. 116.

49. D. Wildenstein, *Monet, vie et œuvre*, *op. cit.*, n° 2656, t. IV, p. 424.

50. Cité *in* Pascal Bonafoux, *Monet, 1840-1926*, Perrin, 2007, p. 435.

51. *Georges Clemenceau à son ami Claude Monet*, *op. cit.*, p. 123.

52. D. Wildenstein, *Monet, vie et œuvre*, *op. cit.*, n° 2528, t. IV, p. 416.

53. *Georges Clemenceau à son ami Claude Monet*, *op. cit.*, p. 127.

54. D. Wildenstein, *Monet, vie et œuvre, op. cit.*, n° 2531, t. IV, p. 416.

55. Cité *in* P. Bonafoux, *Monet, 1840-1926, op. cit.*, p. 436.

56. *Georges Clemenceau à son ami Claude Monet*, *op. cit.*, p. 126.

57. *Ibid.*, p. 137.

58. *Ibid.*, p. 140.

59. D. Wildenstein, *Monet, vie et œuvre, op. cit.*, n° 2612, t. IV, p. 421.

60. *Id.*, *ibid.*, n° 2550, t. IV, p. 417.

61. *Georges Clemenceau à son ami Claude Monet*, *op. cit.*, p. 147.

62. D. Wildenstein, *Monet, vie et œuvre, op. cit.*, n° 2572, t. IV, p. 425.

63. *Georges Clemenceau à son ami Claude Monet*, *op. cit.*, p. 151.

64. *Ibid.*, p. 153 et 156.

65. *Ibid.*, p. 158.

66. *Ibid.*, p. 158.

67. D. Wildenstein, *Monet, vie et œuvre, op. cit.*, t. IV, p. 419.

68. Cité *in* P. Bonafoux, *Monet, 1840-1926, op. cit.*, p. 443.

69. *Georges Clemenceau à son ami Claude Monet*, *op. cit.*, p. 163.

70. *Ibid.*

71. Cité *in* Pierre Georgel, *Le cycle des Nymphéas, op. cit.*, p. 232.

72. Cité in *id.*, *ibid.*

73. D. Wildenstein, *Monet, vie et œuvre, op. cit.*, t. IV, p. 420.

74. D. Wildenstein, *Monet, vie et œuvre, op. cit.*, t. IV, p. 420.

75. *Georges Clemenceau à son ami Claude Monet*, *op. cit.*, p. 169.

76. D. Wildenstein, *Monet, vie et œuvre*, *op. cit.*, t. IV, p. 421.

77. *Id.*, *ibid.*

78. *Georges Clemenceau à son ami Claude Monet*, *op. cit.*, p. 172.

79. D. Wildenstein, *Monet ou Le triomphe de l'impressionnisme*, *op. cit.*, p. 443.

80. Cité *in* G. Clemenceau, *Claude Monet*, *op. cit.*, p. 40.

81. Gustave Geffroy, *Monet, sa vie, son œuvre* [1922], Macula, 1980, p. 450.

CHAPITRE II

LE MÉDECIN ET LE CARICATURISTE
(1840-1870)

1. Gustave Geffroy, *Clemenceau*, Georges Crès, 1919, p. 11-12.

2. Georges Wormser, *La République de Clemenceau*, PUF, 1961, p. 474.

3. Cité *in* Jean-Noël Jeanneney, *Clemenceau, portrait d'un homme libre*, Mengès, 2005, p. 15.

4. G. Wormser, *La République de Clemenceau*, *op. cit.*, p. 477.

5. A. G. Gola, *Clemenceau et son sous-préfet*, Fontenay-le-Comte, Imprimerie moderne, s. d. [1930], p. 190.

6. Claude Monet, *Mon histoire*, recueillie par Thiébault-Sisson, L'Échoppe, 1998, p. 13.

7. *Id.*, *ibid.*, p. 9.

8. *Id.*, *ibid.*

9. Cl. Monet, *Mon histoire*, *op. cit.*, p. 9-10.

10. *Id.*, *ibid.*, p. 10.

11. *Id.*, *ibid.*

12. Jean-Pierre Hoschedé, *Claude Monet, cet inconnu*, Genève, Pierre Cailler, 1960, p. 83.

13. Marc Elder, *À Giverny, chez Claude Monet* [1924], Mille et une nuits, 2010, p. 23.

14. Michel de Decker, *Claude Monet, une vie*, Perrin, 1992, p. 11.

15. Cl. Monet, *Mon histoire*, *op. cit.*, p. 11.

16. *Id.*, *ibid.*

17. *Id.*, *ibid.*, p. 11-12.

18. *Id.*, *ibid.*, p. 12.

19. Cité *in* Sylvie Patin, *L'impressionnisme*, La Bibliothèque des arts, 2002, p. 11.

20. Cité in *id.*, *ibid.*

21. Cité *in* P. Bonafoux, *Monet, 1840-1926*, *op. cit.*, p. 38.

22. Cité *in* Michel Winock, *Clemenceau*, Perrin, 2007, p. 35.

23. G. Wormser, *La République de Clemenceau*, *op. cit.*, p. 478.

24. Cité *in* M. Winock, *Clemenceau*, *op. cit.*, p. 38.

25. G. Wormser, *La République de Clemenceau*, *op. cit.*, p. 25.

26. M. Winock, *Clemenceau*, *op. cit.*, p. 41.

27. Cité *in* Jean-Baptiste Duroselle, *Clemenceau*, Fayard, 1988, p. 55.

28. Georges Clemenceau, *Correspondances (1858-1929)*, Robert Laffont, coll. « Bouquins », BNF, 2008, p. 117.

29. Cité *in* P. Bonafoux, *Monet, 1840-1926*, *op. cit.*, p. 46.

30. D. Wildenstein, *Monet, vie et œuvre*, *op. cit.*, n° 1, t. I, 1974, p. 419.

31. *Id.*, *ibid.*

32. *Id.*, *ibid.*, n° 3, t. I, p. 420.

33. *Id.*, *ibid.*

34. Cl. Monet, *Mon histoire*, *op. cit.*, p. 14.

35. D. Wildenstein, *Monet, vie et œuvre*, *op. cit.*, t. IV, p. 419.

36. Cité *in* G. Geffroy, *Monet, sa vie, son œuvre*, *op. cit.*, p. 19.

37. Cité *in* D. Wildenstein, *Monet ou Le triomphe de l'impressionnisme*, *op. cit.*, p. 30.

38. Cl. Monet, *Mon histoire*, *op. cit.*, p. 14.

39. *Id.*, *ibid.*, p. 15.

40. D. Wildenstein, *Monet, vie et œuvre*, *op. cit.*, t. IV, p. 419.

41. *Id.*, *ibid.*

42. Cl. Monet, *Mon histoire*, *op. cit.*, p. 15.

43. D. Wildenstein, *Monet, vie et œuvre*, *op. cit.*, t. IV, p. 419.

44. Cl. Monet, *Mon histoire*, *op. cit.*, p. 19-20.

45. *Id.*, *ibid.*, p. 16.

46. *Id.*, *ibid.*

47. *Id.*, *ibid.*, p. 17.

48. *Id.*, *ibid.*

49. Cité *in* P. Bonafoux, *Monet, 1840-1926*, *op. cit.*, p. 66.

50. Cl. Monet, *Mon histoire*, *op. cit.*, p. 18.

51. Frédéric Bazille, *Correspondance*, Les Presses du Languedoc, 1992, p. 50-51.

52. *Id.*, *ibid.*, p. 91.

53. D. Wildenstein, *Monet, vie et œuvre*, *op. cit.*, t. I, p. 420.

54. G. Wormser, *La République de Clemenceau*, *op. cit.*, p. 39.

55. G. Clemenceau, *Correspondances (1858-1929)*, *op. cit.*, p. 124.

56. *Id.*, *ibid.*, p. 127.

57. J.-B. Duroselle, *Clemenceau*, *op. cit.*, p. 87.

58. M. Elder, *À Giverny, chez Claude Monet*, *op. cit.*, p. 39.

59. D. Wildenstein, *Monet, vie et œuvre*, *op. cit.*, n° 21, t. I, p. 422.

60. Cité *in* D. Wildenstein, *Monet ou Le triomphe de l'impressionnisme*, *op. cit.*, p. 62.

61. Cité *in* Gaston Poulain, *Bazille et ses amis*, Renaissance du livre, 1932, p. 63.

62. Cité *in* Sylvie Patin, *Monet « un œil... mais, bon Dieu, quel œil ! »*, Gallimard, coll. « Découvertes », 1991, p. 23.

63. Cité *in* P. Bonafoux, *Monet, 1840-1926*, *op. cit.*, p. 96.

64. Cl. Monet, *Mon histoire*, *op. cit.*, p. 20-21.

65. M. Elder, *À Giverny, chez Claude Monet, op. cit.*, p. 41.

66. Cité *in* Jean Renoir, *Pierre-Auguste Renoir, mon père*, Gallimard, 1981, p. 115.

67. Fré. Bazille, *Correspondance, op. cit.*, p. 137.

68. D. Wildenstein, *Monet, vie et œuvre, op. cit.*, t. I, p. 424.

69. Cité *in* Denys Riout, *Les écrivains devant l'impressionnisme*, Macula, 1989, p. 161-164.

70. D. Wildenstein, *Monet, vie et œuvre, op. cit.*, t. I, p. 425.

71. *Id., ibid.*

72. Cité *in* S. Patin, *L'impressionnisme, op. cit.*, p. 48.

73. D. Wildenstein, *Monet, vie et œuvre, op. cit.*, t. I, p. 426.

74. Cité *in* S. Patin, *L'impressionnisme, op. cit.*, p. 32.

75. Cl. Monet, *Mon histoire, op. cit.*, p. 22-23.

CHAPITRE III

LE TOMBEUR DES MINISTÈRES ET L'ALIÉNÉ (1870-1890)

1. G. Clemenceau, *Correspondances (1858-1929), op. cit.*, p. 139-140.

2. Cité *in* M. Winock, *Clemenceau, op. cit.*, p. 19-20.

3. Cité *in* J.-B. Duroselle, *Clemenceau, op. cit.*, p. 103.

4. Cité *in* G. Monnerville, *Clemenceau*, Fayard, 1968, p. 78.

5. Jean Martet, *Le Silence de M. Clemenceau*, Albin Michel, 1929, p. 296-299.

6. G. Wormser, *La République de Clemenceau, op. cit.*, p. 119.

7. Cité *in* J.-B. Duroselle, *Clemenceau, op. cit.*, p. 111.

8. Cité in *id., ibid.*, p. 123.

9. Cité *in* M. Winock, *Clemenceau, op. cit.*, p. 57.

10. Cité *in* Paul Tucker, *Monet. Le triomphe de la lumière*, Flammarion, 1990, p. 9.

11. Fré. Bazille, *Correspondance, op. cit.*, p. 207, note 1.

12. Cité *in* P. Bonafoux, *Monet, 1840-1926*, *op. cit.*, p. 122.

13. M. Elder, *À Giverny, chez Claude Monet*, *op. cit.*, p. 25.

14. G. Clemenceau, *Claude Monet. Les Nymphéas*, *op. cit.*, p. 77.

15. Janine Bailly-Herzberg, *Correspondance de Camille Pissarro*, t. V, *1899-1903*, Éd. du Valhermeil, 1991, p. 283.

16. D. Wildenstein, *Monet, vie et œuvre*, *op. cit.*, t. I, p. 427.

17. *Id.*, *ibid.*, t. I, p. 428.

18. S. Patin, *Monet*, *op. cit.*, p. 35.

19. Cité *in* Antonin Proust, *Édouard Manet. Souvenirs*, L'Échoppe, 1996, p. 46.

20. Cité *in* P. Bonafoux, *Monet, 1840-1926*, *op. cit.*, p. 133.

21. Cité *in* S. Patin, *L'impressionnisme*, *op. cit.*, p. 80.

22. Cité *in* J. Renoir, *Pierre-Auguste Renoir, mon père*, *op. cit.*, p. 117.

23. *Centenaire de l'impressionnisme*, Éd. des musées nationaux, 1974, p. 223.

24. Cité in *Centenaire de l'impressionnisme*, *op. cit.*, p. 263.

25. Cité in *id.*, p. 153.

26. Cité in Samuël Tomei, *Clemenceau. Le combattant*, La Documentation française, 2008, p. 21.

27. Cité *in* M. Winock, *Clemenceau*, *op. cit.*, p. 86.

28. Cité *in* J.-N. Jeanneney, *Clemenceau, portrait d'un homme libre*, *op. cit.*, p. 156.

29. Cité *in* S. Tomei, *Clemenceau. Le Combattant*, *op. cit.*, p. 25.

30. Cité *in* id., *ibid.*, p. 26.

31. Cité *in* S. Tomei, *Clemenceau. Le combattant*, *op. cit.*, p. 29.

32. Cité in *id.*, *ibid.*, p. 28.

33. Cité *in* M. Winock, *Clemenceau*, *op. cit.*, p. 34.

34. Cité *in* J.-B. Duroselle, *Clemenceau*, *op. cit.*, p. 224.

35. Cité *in* S. Patin, *Clemenceau*, *op. cit.*, p. 43.

36. Pierre-Auguste Renoir, *Écrits, entretiens et lettres sur l'art*, Éd. de l'Amateur, 2002, p. 11.

37. Cité *in* G. Geffroy, *Monet, sa vie, son œuvre, op. cit.*, p. 78.

38. Cité *in* S. Patin, *L'impressionnisme, op. cit.*, p. 119.

39. Cité *in* P. Bonafoux, *Monet, 1840-1926, op. cit.*, p. 148.

40. Cité in *id.*, *ibid.*, p. 149.

41. Cité in *id.*, *ibid.*

42. Cité in *Les écrivains devant l'impressionnisme*, Macula, 1989, p. 99.

43. Cité in *id.*, p. 167.

44. Théodore Duret, *Les peintres impressionnistes : Claude Monet, Sisley, C. Pissarro, Renoir, Berthe Morisot*, 1878, p. 15-16.

45. D. Wildenstein, *Monet, vie et œuvre, op. cit.*, n° 107, t. I, p. 432.

46. Cité *in* S. Patin, *Monet, op. cit.*, p. 65.

47. D. Wildenstein, *Monet, vie et œuvre, op. cit.*, n° 148, t. I, p. 436.

48. *Id.*, *ibid.*, n° 156, t. I, p. 436.

49. *Id.*, *ibid.*, n° 158, t. I, p. 437.

50. D. Wildenstein, *Monet ou Le triomphe de l'impressionnisme, op. cit.*, p. 144-145.

51. Cité *in* S. Patin, *Monet, op. cit.*, p. 71.

52. M. Elder, *À Giverny, chez Claude Monet, op. cit.*, p. 37.

53. Cité *in* S. Patin, *L'impressionnisme, op. cit.*, p. 223.

54. Cité in *Les écrivains devant l'impressionnisme, op. cit.*, p. 175-176.

55. Cité in *id.*, p. 224-229.

56. D. Wildenstein, *Monet, vie et œuvre, op. cit.*, t. I, p. 441.

57. *Id.*, *ibid.*, n° 315, t. II, 1979, p. 223.

58. *Id.*, *ibid.*, t. II, p. 220.

59. *Id.*, *ibid.*, n° 324, t. II, p. 225.

60. *Id.*, *ibid.*, n° 334, t. II, p. 227.

61. *Id.*, *ibid.*, n° 335, t. II, p. 227.

62. *Id.*, *ibid.*, n° 349, t. II, p. 228.

63. Cité *in* S. Patin, *L'impressionnisme*, *op. cit.*, p. 234.

64. D. Wildenstein, *Monet, vie et œuvre*, *op. cit.*, n° 362, t. II, p. 230.

65. *Id.*, *ibid.*, n° 388, t. II , p. 232.

66. *Id.*, *ibid.*, n° 391, t. II, p. 232.

67. *Id.*, *ibid.*, n° 398, t. II, p. 234.

68. *Id.*, *ibid.*, n° 403, t. II, p. 235.

69. *Id.*, *ibid.*, n° 404, t. II, p. 235.

70. *Id.*, *ibid.*, n° 407, t. II, p. 236.

71. *Id.*, *ibid.*, n° 424, t. II, p. 240.

72. *Id.*, *ibid.*, n° 441, t. II, p. 243.

73. *Id.*, *ibid.*, n° 445, t. II, p. 244.

74. *Id.*, *ibid.*, n° 451, t. II, p. 245.

75. *Id.*, *ibid.*, n° 465, t. II, p. 247.

76. *Id.*, *ibid.*, n° 472, t. II, p. 249.

77. *Id.*, *ibid.*, n° 531, t. II, p. 256.

78. Octave Mirbeau, *Combats esthétiques*, Séguier, 1993, 2 vol., t. I, p. 82-85.

79. Cité *in* S. Tomei, *Clemenceau. Le combattant*, *op. cit.*, p. 31.

80. Cité in *id.*, *ibid.*, p. 32.

81. Cité *in* J.-N. Jeanneney, *Clemenceau, portrait d'un homme libre*, *op. cit.*, p. 39.

82. D. Wildenstein, *Monet, vie et œuvre*, *op. cit.*, n° 567, t. II, p. 259.

83. *Id.*, *ibid.*, n° 578, t. II, p. 260.

84. Guy de Maupassant, « La vie d'un paysagiste », paru dans le *Gil Blas*, mardi 28 avril 1886.

85. D. Wildenstein, *Monet, vie et œuvre*, *op. cit.*, n° 651, t. II, p. 271.

86. *Id.*, *ibid.*, n° 676, t. II, 1985, p. 275.

87. Cité *in* S. Patin, *L'impressionnisme*, *op. cit.*, p. 247.

88. D. Wildenstein, *Monet, vie et œuvre*, *op. cit.*, n° 644, t. II, p. 273.

89. *Id.*, *ibid.*, n° 709, t. II, p. 280.

90. *Id.*, *ibid.*, n° 730, t. II, p. 285.

91. *Id.*, *ibid.*, n° 766, t. II, p. 292.

92. *Id.*, *ibid.*, n° 777, t. II, p. 222.

93. *Id., ibid.*, n° 794, t. II, p. 223.

94. *Id., ibid.*, n° 825, t. III, p. 227.

95. *Id., ibid.*, n° 829, t. III, p. 228.

96. *Id., ibid.*, n° 886, t. III, p. 237.

97. *Id., ibid.*, n° 976, t. III, p. 248.

98. Cité *in* S. Patin, *Monet, op. cit.*, p. 72.

99. D. Wildenstein, *Monet, vie et œuvre, op. cit.*, n° 912, t. III, p. 240.

100. *L'Écho de Paris*, 25 juin 1889.

101. D. Wildenstein, *Monet, vie et œuvre, op. cit.*, n° 996, t. III, p. 250.

102. *Id., ibid.*, n° 1000, t. III, p. 250.

103. *Id., ibid.*, n° 1024, t. III, p. 253.

104. *Id., ibid.*, n° 1032, t. III, p. 254.

105. *Id., ibid.*, n° 1066, t. III, p. 257.

106. D. Wildenstein, *Monet ou Le triomphe de l'impressionnisme, op. cit.*, p. 270.

CHAPITRE IV

LE DREYFUSARD ET LE JARDINIER DE GIVERNY (1893-1902)

1. D. Wildenstein, *Monet, vie et œuvre, op. cit.* n° 1079, t. III, p. 259.

2. Georges Clemenceau, *Claude Monet, op. cit.*, p. 100.

3. D. Wildenstein, *Monet, vie et œuvre, op. cit.*, n° 1076, t. III, p. 258.

4. *Id., ibid.*, n° 1085, t. III, p. 259.

5. J. Bailly-Herzberg, *Correspondance de Camille Pissarro*, t. III, *1891-1894, op. cit.*, p. 55.

6. G. Geffroy, *Monet, sa vie, son œuvre, op. cit.*, p. 317.

7. O. Mirbeau, *Combats esthétiques, op. cit.*, t. II, p. 431.

8. Jean-Pierre Hoschedé, *Monet, ce mal connu*, Pierre Cailler, 1960, p. 47.

9. G. Geffroy, *Monet, sa vie, son œuvre, op. cit.*, p. 461-462.

10. D. Wildenstein, *Monet, vie et œuvre, op. cit.*, n° 1146, t. III, p. 266.

11. *Id.*, *ibid.*, n° 1167, t. III, p. 268.

12. *Id.*, *ibid.*, n° 1183, t. III, p. 270.

13. Cité *in* M. Winock, *Clemenceau*, *op. cit.*, p. 212.

14. S. Tomei, *Clemenceau. Le combattant*, *op. cit.*, p. 39.

15. S. Guitry, *Cinquante ans d'occupations*, *op. cit.*, p. 477-478.

16. D. Wildenstein, *Monet, vie et œuvre*, *op. cit.*, n° 1268, t. III, p. 280.

17. *Id.*, *ibid.*, n° 1276, t. III, p. 282.

18. *Id.*, *ibid.*, n° 1272, t. III, p. 281.

19. *Id.*, *ibid.*, n° 1290, t. III, p. 285.

20. J. Bailly-Herzberg, *Correspondance de Camille Pissarro*, t. IV, *1895-1898*, *op. cit.*, p. 69.

21. G. Clemenceau, *Claude Monet*, *op. cit.*, p. 105-115.

22. D. Wildenstein, *Monet, vie et œuvre*, *op. cit.*, n° 1298, t. III, p. 286.

23. *Georges Clemenceau à son ami Claude Monet*, *op. cit.*, p. 71.

24. D. Wildenstein, *Monet, vie et œuvre*, *op. cit.*, n° 1300, t. III, p. 286.

25. Ambroise Vollard, *Souvenirs d'un marchand de tableaux*, Albin Michel, 1957, p. 112.

26. Cité *in* Gustave Kahn, « Revue de la Quinzaine — Art », *Mercure de France*, 1er juillet 1927.

27. M. Elder, *À Giverny, chez Claude Monet*, *op. cit.*, p. 51.

28. Cité *in* P. Bonafoux, *Monet, 1840-1926*, *op. cit.*, p. 318.

29. D. Wildenstein, *Monet, vie et œuvre*, *op. cit.*, n° 1411, t. III, p. 297.

30. G. Geffroy, *Monet, sa vie, son œuvre, op. cit.*, p. 359-360.

31. *Id.*, *ibid.*, p. 359.

32. D. Wildenstein, *Monet, vie et œuvre*, *op. cit.*, n° 1435, t. IV, p. 337.

33. Cité *in* S. Patin, *L'impressionnisme*, *op. cit.*, p. 270.

34. Article dans *La Justice* en date du 25 décembre 1894.

35. Cité *in* M. Winock, *Clemenceau*, *op. cit.*, p. 247.

36. Albert de Mun à la Chambre des députés le 4 décembre 1897. Cité *in* M. Winock, *Clemenceau, op. cit.*, p. 251.

37. Cité *in* M. Winock, *Clemenceau, op. cit.*, p. 249.

38. Cité in *id., ibid.*, p. 254.

39. Cité in *id., ibid.*, p. 252.

40. Cité in *id., ibid.*, p. 260.

41. Cité in *id., ibid.*, p. 261.

42. Cité in *id., ibid.*, p. 263.

43. Cité in *id., ibid.*, p. 264.

44. Cité in *id., ibid.*, p. 264.

45. *L'Aurore*, 27 septembre 1898. Cité *in* M. Winock, *Clemenceau, op. cit.*, p. 274.

46. Cité in M. Winock, *Clemenceau, op. cit.*, p. 276.

47. Cité in *id., ibid.*, p. 277.

48. Cité in *id., ibid.*, p. 281.

49. Cité in *id., ibid.*, p. 289.

50. Cité in *id., ibid.*

51. Cité *in* J.-B. Duroselle, *Clemenceau, op. cit.*, p. 448.

52. Cité in *id., ibid.*, p. 449.

53. Cité in *id., ibid.*, p. 291.

54. Cité in *id., ibid.*, p. 294.

55. S. Tomei, *Clemenceau. Le combattant, op. cit.*, p. 44.

56. *Id., ibid.*, p. 43.

57. D. Wildenstein, *Monet, vie et œuvre, op. cit.*, n° 1401, t. III, p. 296.

58. *Id., ibid.*, n° 1404, t. III, p. 296.

59. *Id., ibid.*, n° 1482, t. IV, p. 339.

60. *Georges Clemenceau à son ami Claude Monet, op. cit.*, p. 72.

CHAPITRE V

LE TIGRE ET LE PEINTRE (1902-1914)

1. D. Wildenstein, *Monet, vie et œuvre, op. cit.*, n° 1491, t. IV, p. 340.

2. *Id., ibid.*, n° 1565, t. IV, p. 348.

3. *Id., ibid.*, n° 1507, t. IV, p. 342.

4. *Id., ibid.*, n° 1519, t. IV, p. 343.

5. G. Geffroy, *Monet, sa vie, son œuvre, op. cit.*, p. 389-390.

6. D. Wildenstein, *Monet, vie et œuvre, op. cit.*, n° 1543, t. IV, p. 346.

7. P. Bonafoux, *Monet, 1840-1926, op. cit.*, p. 338.

8. J.-P. Hoschedé, *Monet, ce mal connu, op. cit.*, p. 126-127.

9. D. Wildenstein, *Monet, vie et œuvre, op. cit.*, n° 1646, t. IV, p. 359.

10. *Id., ibid.*, n° 1692, t. IV, p. 363.

11. *Id., ibid.*, n° 1690, t. IV, p. 363.

12. *Id., ibid.*, n° 1692, t. IV, p. 363.

13. *Id., ibid.*, n° 1693, t. IV, p. 363.

14. O. Mirbeau, *Combats esthétiques, op. cit.*, t. II, p. 344.

15. S. Tomei, *Clemenceau. Le combattant, op. cit.*, p. 46.

16. Cité *in* M. Winock, *Clemenceau, op. cit.*, p. 299-300.

17. Cité in *id., ibid.*, p. 311.

18. Cité in *id., ibid.*, p. 314.

19. D. Wildenstein, *Monet, vie et œuvre, op. cit.*, n° 1736, t. IV, p. 366.

20. M. Elder, *À Giverny, chez Claude Monet, op. cit.*, p. 55.

21. G. Geffroy, *Monet, sa vie, son œuvre, op. cit.*, p. 458-459.

22. D. Wildenstein, *Monet, vie et œuvre, op. cit.*, n° 1824, t. IV, p. 371.

23. *Id., ibid.*

24. *Id., ibid.*

25. *Id., ibid.*, n° 1837, t. IV, p. 372.

26. *Id., ibid.*, n° 1853, t. IV, p. 374.

27. *Id., ibid.*, n° 1908, t. IV, p. 378.

28. Cité *in* M. Winock, *Clemenceau, op. cit.*, p. 338.

29. J.-B. Duroselle, *Clemenceau, op. cit.*, p. 503.

30. *Id., ibid.*, p. 511.

31. *Id., ibid.*

32. Cité *in* M. Winock, *Clemenceau, op. cit.*, p. 330.

33. S. Tomei, *Clemenceau. Le combattant*, *op. cit.*, p. 57.

34. *Id.*, *ibid.*, p. 57-58.

35. *Id.*, *ibid.*, p. 56-57.

36. Cité *in* M. Winock, *Clemenceau*, *op. cit.*, p. 327.

37. S. Tomei, *Clemenceau. Le combattant*, *op. cit.*, p. 65.

38. Philippe Piguet, *Monet et Venise*, Herscher, 1986, p. 30.

39. D. Wildenstein, *Monet, vie et œuvre*, *op. cit.*, n° 1863a, t. IV, p. 374.

40. P. Piguet, *Monet et Venise*, *op. cit.*, p. 50.

41. *Id.*, *ibid.*, p. 43.

42. D. Wildenstein, *Monet, vie et œuvre*, *op. cit.*, n° 1911, t. IV, p. 378.

43. *Id.*, *ibid.*, n° 1916, t. IV, p. 378.

44. *Id.*, *ibid.*, n° 1968, t. IV, p. 381.

45. *Id.*, *ibid.*, p. 74.

46. *Id.*, *ibid.*, n° 1993, t. IV, p. 383.

47. *Id.*, *ibid.*, n° 2002, t. IV, p. 384.

48. *Id.*, *ibid.*, n° 2007, t. IV, p. 384.

49. O. Mirbeau, *Combats esthétiques*, *op. cit.*, t. II, p. 516.

50. G. Geffroy, *Monet, sa vie, son œuvre*, *op. cit.*, p. 424.

51. D. Wildenstein, *Monet, vie et œuvre*, *op. cit.*, n° 2014, t. IV, p. 385.

52. *Id.*, *ibid.*, n° 2022, t. IV, p. 385.

53. *Id.*, *ibid.*, n° 2023, t. IV, p. 386.

54. *Id.*, *ibid.*, n° 2024a, t. IV, p. 386.

55. S. Tomei, *Clemenceau. Le combattant*, *op. cit.*, p. 69.

56. Cité *in* M. Winock, *Clemenceau*, *op. cit.*, p. 390.

57. Cité in *id.*, *ibid.*, p. 393.

58. Cité in S. Tomei, *Clemenceau. Le combattant*, *op. cit.*, p. 69.

59. Cité in M. Winock, *Clemenceau*, *op. cit.*, p. 396.

60. Cité in *id.*, *ibid.*, p. 396.

61. Cité in *id.*, *ibid.*, p. 397-398.

CHAPITRE VI

LA GRANDE GUERRE (1914-1918)

1. Cité *in* P. Erlanger, *Clemenceau*, Perrin, 1998, p. 337-338.

2. Cité in *id.*, *ibid.*, p 338.

3. Cité *in* G. Monnerville, *Clemenceau*, *op. cit.*, p. 368.

4. Cité in *id.*, *ibid.*, p. 377.

5. Cité in *id.*, *ibid.*, p. 375.

6. Cité in *id.*, *ibid.*, p. 383.

7. Cité *in* M. Winock, *Clemenceau*, *op. cit.*, p. 405.

8. Cité in *id.*, *ibid.*, p. 377.

9. Cité in *id.*, *ibid.*, p. 405.

10. S. Tomei, *Clemenceau. Le combattant*, *op. cit.*, p. 76.

11. Le 10 septembre 1915, *Le Canard enchaîné* est fondé par Maurice Maréchal, Jeanne Maréchal et Henri-Paul Deyvaux-Gassier, qui choisissent ce nom en référence au journal de Georges Clemenceau. Les deux « canards » se veulent critiques à l'égard du gouvernement. Ils partagent également l'anticléricalisme.

12. Cité *in* G. Monnerville, *Clemenceau*, *op. cit.*, p. 389.

13. Cité *in* M. Winock, *Clemenceau*, *op. cit.*, p. 412.

14. D. Wildenstein, *Monet, vie et œuvre*, *op. cit.*, n° 2128, t. IV, p. 391.

15. *Id.*, *ibid.*, n° 2129, t. IV, p. 391.

16. *Id.*, *ibid.*, n° 2135, t. IV, p. 391.

17. *Id.*, *ibid.*, n° 2142, t. IV, p. 391-392.

18. *Id.*, *ibid.*, n° 2145, t. IV, p. 392.

19. *Id.*, *ibid.*, n° 2155, t. IV, p. 392.

20. J.-P. Hoschedé, *Monet, ce mal connu*, *op. cit.*, p. 135.

21. Cité *in* Pierre Guiral, *Clemenceau en son temps*, Grasset, 1994, p. 240.

22. Cité *in* J.-B. Duroselle, *Clemenceau*, *op. cit.*, p. 618.

23. Cité *in* M. Winock, *Clemenceau*, *op. cit.*, p. 423.

24. Cité in *id.*, *ibid.*, p. 607-608.

25. Raymond Poincaré, *Au service de la France. Neuf*

années de souvenirs, t. V, *L'invasion (1914)*, Plon, 1926, p. 536-537.

26. Cité *in* Pierre Guiral, *Clemenceau en son temps*, *op. cit.*, p. 242-243.

27. Cité *in* M. Winock, *Clemenceau*, *op. cit.*, p. 422.

28. Cité *in* J.-B. Duroselle, *Clemenceau*, *op. cit.*, p. 625.

29. D. Wildenstein, *Monet, vie et œuvre*, *op. cit.*, n° 2155, t. IV, p. 392.

30. *Id.*, *ibid.*, n° 2200, t. IV, p. 395.

31. Cité *in* P. Bonafoux, *Monet, 1840-1926*, *op. cit.*, p. 412.

32. D. Wildenstein, *Monet, vie et œuvre*, *op. cit.*, n° 2247, t. IV, p. 398.

33. *Id.*, *ibid.*, n° 2253, t. IV, p. 398.

34. Cité *in* M. Winock, *Clemenceau*, *op. cit.*, p. 426-427.

35. Cité *in* P. Guiral, *Clemenceau en son temps*, *op. cit.*, p. 265.

36. Cité *in* M. Winock, *Clemenceau*, *op. cit.*, p. 442.

37. Cité *in* G. Wormser, *Clemenceau vu de près*, *op. cit.*, p. 215-216.

38. Cité *in* M. Winock, *Clemenceau*, *op. cit.*, p. 434.

39. Henri Mordacq, *Le ministère Clemenceau. Journal d'un témoin*, Plon, 1930, t. I, p. 29.

40. Cité *in* P. Guiral, *Clemenceau en son temps*, *op. cit.*, p. 259.

41. Cité *in* M. Winock, *Clemenceau*, *op. cit.*, p. 446.

42. Cité *in* J.-B. Duroselle, *Clemenceau*, *op. cit.*, p. 694.

43. D. Wildenstein, *Monet, vie et œuvre*, *op. cit.*, n° 2260, t. IV, p. 399.

44. Cité *in* P. Bonafoux, *Monet, 1840-1926*, *op. cit.*, p. 417.

45. D. Wildenstein, *Monet, vie et œuvre*, *op. cit.*, n° 2260, t. IV, p. 399.

46. *Id.*, *ibid.*, n° 2278, t. IV, p. 400.

47. *Id.*, *ibid.*, n° 2281, t. IV, p. 400.

48. Cité *in* P. Guiral, *Clemenceau en son temps*, *op. cit.*, p. 300.

49. Cité *in* P. Guiral, *Clemenceau en son temps*, *op. cit.*, p. 300.

50. Cité *in* P. Guiral, *Clemenceau en son temps*, *op. cit.*, p. 301.

51. Cité *in* M. Winock, *Clemenceau*, *op. cit.*, p. 86.

52. Cité in *id.*, *ibid.*, p. 458.

53. H. Mordacq, *Le ministère Clemenceau*, *op. cit.*, t. I, p. 29.

54. Cité *in* René Benjamin, *Clemenceau dans la retraite*, Plon, 1930, p. 136.

55. Cité *in* J. Martet, *Clemenceau peint par lui-même*, Albin Michel, 1929, p. 213.

56. H. Mordacq, *Le ministère Clemenceau*, *op. cit.*, t. IV, p. 265.

CHAPITRE VII

LE RAYON DE SOLEIL
(1926-1929)

1. Cité *in* D. Wildenstein, *Monet ou Le triomphe de l'impressionnisme*, *op. cit.*, p. 458.

2. Cité in *id.*, *ibid.*

3. Cité in *id.*, *ibid.*, p. 457-458.

4. G. Clemenceau, *Claude Monet. Les Nymphéas*, *op. cit.*, p. 93-94.

5. Cité *in* J.-N. Jeanneney, *Clemenceau, portrait d'un homme libre*, *op. cit.*, p. 73.

6. Cité in *id.*, *ibid.*, p. 105.

7. Cité in *id.*, *ibid.*, p. 153.

8. Cité in *id.*, *ibid.*, p. 177.

9. Cité *in* J.-B. Duroselle, *Clemenceau*, *op. cit.*, p. 944-945.

10. *Georges Clemenceau à son ami Claude Monet*, *op. cit.*, p. 9.

11. M. Elder, *À Giverny, chez Claude Monet*, *op. cit.*, p. 61.

12. J. Martet, *Clemenceau peint par lui-même*, *op. cit.*, p. 51-52.

13. *Georges Clemenceau à son ami Claude Monet*, *op. cit.*, p. 10.

14. *Id.*, p. 16.

15. Cité *in* Paul Tucker, *Monet. Le triomphe de la lumière*, Flammarion, 1990, p. 290.

16. J. Martet, *Clemenceau peint par lui-même*, *op. cit.*, p. 28.

17. Cité *in* J.-N. Jeanneney, *Clemenceau, portrait d'un homme libre*, *op. cit.*, p. 73.

18. Cité *in* G. Clemenceau, *Claude Monet*, *op. cit.*, p. 12.

19. Cité in *id.*, *ibid.*, p. 27.

20. Cité in *id.*, *ibid.*, p. 23.

21. Cité *in* S. Patin, *L'impressionnisme*, *op. cit.*, p. 266.

22. J. Martet, *Clemenceau peint par lui-même*, *op. cit.*, p. 27.

23. *Id.*, *ibid.*, p. 48-50.

24. *Id.*, *ibid.*, p. 31.

25. Cité *in* Augustin de Butler, *Lumières sur les impressionnistes*, L'Échoppe, 2007, p. 9.

26. Cité in *id.*, p. 11-12.

27. Cité in *id.*, p. 22.

28. Cité *in* G. Clemenceau, *Claude Monet*, *op. cit.*, p. 86-87.

29. Philip Nord, *Les impressionnistes et la politique*, Tallandier, 2009, p. 128-129.

30. D. Wildenstein, *Monet, vie et œuvre*, *op. cit.*, n° 3042, t. IV, p. 214.

BIBLIOGRAPHIE

ALPHANT (Marianne), *Monet, une vie dans le paysage*, Hazan, 2010.

ASSOULINE (Pierre), *Grâces lui soient rendues. Paul Durand-Ruel, le marchand des impressionnistes*, Plon, 2002.

BACHERICH (Martine), *Édouard Manet, le regard incarné*, Olbia, 1998.

BECKS-MALORNY (Ulrike), *Cézanne*, Taschen, 2001.

BONA (Dominique), *Berthe Morisot. Le secret de la femme en noir*, Grasset, 2000.

BONAFOUX (Pascal), *Monet, 1840-1926*, Perrin, 2007.

BUTLER (Augustin de), *Lumières sur les impressionnistes*, L'Échoppe, 2007.

CLEMENCEAU (Georges), *Claude Monet*, Plon, 1928.

—, *Grandeurs et misères d'une victoire*, Plon, 1930.

—, *Correspondances (1858-1929)*, BNF/Robert Laffont, coll. « Bouquins », 2008.

—, *Correspondance à son ami Claude Monet*, RMN, 2008.

DARRAGON (Éric), *Manet*, Fayard, 1989.

DECKER (Michel de), *Monet, une vie*, Perrin, 1992.

DUROSELLE (Jean-Baptiste), *Clemenceau*, Fayard, 1988.

ELDER (Marc), *À Giverny chez Claude Monet*, Mille et une nuits, 2010.

ERLANGER (Philippe), *Clemenceau*, Perrin, 1998.

GATINEAU-CLEMENCEAU (Georges), *Des pattes du Tigre aux griffes du Destin*, Presses du mail, 1961.

GEFFROY (Gustave), *Monet, sa vie, son œuvre*, Macula, 1980.

GEORGEL (Pierre), *Monet, Le cycle des Nymphéas*, RMN, 1999.

GUIRAL (Pierre), *Clemenceau en son temps*, Grasset, 1994.

GUITRY (Sacha), *Cinquante ans d'occupation*, Omnibus, 1998.

HEINRICH (Christoph), *Monet*, Taschen, 2000.

HOOG (Michel), *Les Nymphéas de Claude Monet à l'Orangerie*, RMN, 1984.

JEANNENEY (Jean-Noël), *Clemenceau. Portrait d'un homme libre*, Mengès, 2005.

JOYES (Claire), *Monet et Giverny*, Chêne, 1985.

LÉON (Paul), *Du Palais-Royal au Palais-Bourbon. Souvenirs*, Albin Michel, 1947.

MARTET (Jean), *Clemenceau peint par lui-même*, Albin Michel, 1929.

—, *Le Tigre*, Albin Michel, 1930.

—, *Le Silence de Clemenceau*, Albin Michel, 1929.

MARTIN-FUGIER (Anne), *La vie d'artiste au XIXe siècle*, Hachette Littérature, coll. « Pluriel », 2007.

MARTINEZ (Frédéric), *Claude Monet, une vie au fil de l'eau*, Tallandier, 2009.

MICHEL (François-Bernard), *Bazille, 1841-1870*, Grasset, 1992.

MONET (Claude), *Mon histoire*, L'Échoppe, 1998.

NORD (Philip), *Les impressionnistes et la politique*, Tallandier, 2009.

PATIN (Sylvie), *L'impressionnisme*, La Bibliothèque des arts, 2002.

—, *Monet « un œil... mais bon Dieu, quel œil ! »*, coll. « Découvertes », Gallimard, 1999.

PLAZY (Gilles), *L'aventure des grands impressionnistes*, Pygmalion, 2003.

Proust (Antonin), *Édouard Manet. Souvenirs*, L'Échoppe, 1996.

Ratinaud (Jean), *Clemenceau ou La colère et la gloire*, Arthème Fayard, 1958.

—, *1917 ou La tragédie d'avril*, Arthème Fayard, 1960.

Rewald (John), *Histoire de l'Impressionnisme*, t. I et II, Le Livre de poche, Albin Michel, 1955.

—, *Aspects of Monet*, Abrams, 1984.

Sérullaz (Maurice), *L'impressionnisme*, PUF, 1994.

—, *Delacroix*, Fayard, 1989.

Suarez (Georges), *La vie orgueilleuse de Clemenceau*, Éd. de France, 1930.

Tomei (Samuël), *Clemenceau. Le combattant*, La Documentation française, 2008.

Tucker (Paul Hayes), *Monet. Le triomphe de la lumière*, Flammarion, 1990.

Walther (Ingo F.), *L'impressionnisme*, Taschen, 2002.

Wildenstein (Daniel), *Monet ou Le triomphe de l'impressionnisme*, Taschen, 2003.

Willsdon (Clare A.), *Les jardins des impressionnistes*, La Bibliothèque des arts, 2005.

Winock (Michel), *Clemenceau*, Perrin, 2007.

Wormser (Georges), *Clemenceau vu de près*, Hachette Littérature, 1979.

INDEX

Blanc, Louis : 94.

Blanqui, Auguste : 61, 62, 92.

Boisdeffre, Raoul François Charles Le Mouton de (général) : 167, 172.

Bonnard, Pierre : 45.

Bonnemains, Marguerite de : 132.

Bonnier, Louis : 24-28, 31.

Boucher, François : 268.

Boudin, Eugène : 56-59, 64, 65, 70, 74, 83, 104-106, 123, 137, 166, 191.

Boulanger, Georges (général) : 131, 132.

Boussod, Léon : 142, 155, 158.

Bracquemond, Félix : 106.

Briand, Aristide : 199-201, 214, 215, 217, 227.

Burty, Philippe : 87, 126.

Butler, Theodor Earl : 156.

Cabanel, Alexandre : 64.

Caillaux, Joseph : 201, 235.

Caillebotte, Gustave : 115, 123, 130, 157, 164.

Caillebotte, Martial : 165.

Carnot, Marie François Sadi : 112.

Cavaignac, Jacques Marie Eugène Godefroy : 171, 172.

Cavaignac, Jean-Baptiste (baron de Lalande) : 171.

Cavaignac, Louis Eugène (général) : 171.

Cervantès Saavedra, Miguel de : 264.

César, Jules : 52.

Cézanne, Paul : 74, 81, 86, 106, 120, 127, 138, 163, 165, 191, 196, 261, 268.

Charpentier, Georges : 121.

Charpentier, Marguerite : 121.

Chateaubriand, François Auguste René (vicomte de) : 264.

Choquet, Victor : 300

Cimabue (Cenni di Pepi, *dit*) : 106.

Clavier, Félicien : 191.

Clemenceau, Albert : 169, 191.

Monet, Alice (*née* Raingo, *ép.* Hoschedé, *puis*) : 20, 115, 117-119, 121, 122, 125-127, 140, 151, 155, 187, 196, 208-210, 264.

Monet, Blanche (*née* Hoschedé) : 20, 37, 44, 45, 119, 122, 151, 210, 225, 270.

Monet, Camille (*née* Doncieux) : 79, 80, 82-84, 85, 86, 103, 117, 118.

Monet, Jean : 82-84, 103, 105.

Monet, Louise-Justine (*née* Aubrée) : 55.

Monet, Michel : 117, 119, 122, 151,196, 210, 225, 226.

Monginot, Charles : 65, 66.

Montagnini, Carlo (Mgr) : 202.

Montaigne, Michel Eyquem (seigneur de) : 264.

Mordacq, Jean Jules Henri (général) : 237, 244.

Morisot, Berthe : 106, 113, 114, 123, 126, 130, 140, 142, 144, 164, 191, 196.

Nadar (Félix Tournachon, *dit*) : 106, 262.

Napoléon Ier (empereur des Français) : 101.

Napoléon III (empereur des Français) : 51, 52, 68, 91, 101.

Ochard, Jacques-François : 54, 65, 83.

Orlando, Vittorio Emanuele : 242, 246.

Orsini, Felice : 51.

Paderewski, Ignacy : 260.

Painlevé, Paul : 228, 231, 233.

Paléologue, Maurice : 216.

Pams, Jules : 214.

Pascal, Blaise : 264.

Pasteur, Louis : 63.

Péguy, Charles : 176.

Pelletan, Camille : 110.

Pellieux, Georges-Gabriel (général) : 172.

Peloquet, Théodore : 67.

Pétain, Philippe (maréchal) : 236, 239, 240.

Petit, Georges : 120, 135, 136, 140-143, 165.

APPENDICES

DU MÊME AUTEUR

Aux Éditions Gallimard

ANDRÉ MALRAUX-CHARLES DE GAULLE : UNE HIS-
TOIRE, DEUX LÉGENDES

CLAUDE MONET-GEORGES CLEMENCEAU : UNE
HISTOIRE, DEUX CARACTÈRES (Folio n° 5599)

COLLECTION FOLIO